CHRISTOPH VON SCHMID

Genoveva de Brabante

CONHEÇA NOSSO LIVROS ACESSANDO AQUI!

Copyright desta edição ©2023

Textos originais de domínio público. Reservados todos os direitos desta produção.

Direitos reservados e protegidos pela lei 9.610 de 19.2.1998.
Nenhuma parte deste livro pode ser reproduzida, arquivada em sistema de busca ou transmitida por qualquer meio, seja ele eletrônico, xérox, gravação ou outros, sem prévia autorização do detentor dos direitos, e não pode circular encadernada ou encapada de maneira distinta daquela em que foi publicada, ou sem que as mesmas condições sejam impostas aos compradores subsequentes.
1ª Impressão 2023

Presidente: Paulo Roberto Houch
MTB 0083982/SP

Coordenação Editorial: Priscilla Sipans
Coordenação de Arte: Rubens Martim
Produção Editorial: Eliana S. Nogueira
Revisão: Cláudia Rajão

Vendas: Tel.: (11) 3393-7727 (comercial2@editoraonline.com.br)

Foi feito o depósito legal.

	Dados Internacionais de Catalogação na Publicação (CIP) de acordo com ISBD	
S348g	Schmid, Christopher	
	Genoveva de Brabante / Christopher Schmid. - Barueri: Camelot Editora, 2023. 160 p. ; 15cm x 23cm.	
	ISBN: 978-65-80921-15-7	
	1. Literatura inglesa. I. Título.	
2023-230		CDD 823 CDU 821.111
	Elaborado por Odilio Hilario Moreira Junior - CRB-8/9949	

Direitos reservados ao
IBC — Instituto Brasileiro de Cultura LTDA
CNPJ 04.207.648/0001-94
Avenida Juruá, 762 — Alphaville Industrial
CEP. 06455-010 — Barueri/SP
www.editoraonline.com.br

SUMÁRIO

1	PRIMEIROS ANOS	5
2	O CONDE PARTE PARA A GUERRA	7
3	AS ARTIMANHAS DO MALVADO GOLO	10
4	RESIGNAÇÃO NO CÁRCERE	13
5	NASCIMENTO DO FILHO DESVENTURADO	15
6	PERTO DA MORTE	19
7	SALVOS NO ÚLTIMO INSTANTE	24
8	NO ESCONDERIJO DA CERVA	33
9	O LIVRO DA NATUREZA	42
10	DESDITOSO APRENDE COISAS NOVAS	51
11	LIÇÕES SOBRE DEUS E A VIDA	56
12	UMA ROUPA DE PELE	67
13	GENOVEVA SE SENTE MUITO DOENTE	75
14	ÚLTIMOS ENSINAMENTOS	86
15	O CONDE CHORA O SEU ERRO	97
16	A CERVA LEVA SIGFRID À GRUTA	111
17	REGRESSO TRIUNFANTE AO CASTELO	124
18	WOLF A CAMINHO DE BRABANTE	136
19	GENOVEVA AINDA VIVE!	141
20	O DOLOROSO CAMINHO PARA A FELICIDADE	144
21	GENOVEVA E SEU POVO	146
22	OS CONSELHOS DE GENOVEVA	148
23	O DESESPERO DE GOLO	150
24	A CERVA ADMIRADA POR TODOS	153
25	APOSTOLADO ATÉ A MORTE	155
EPÍLOGO		157

1
PRIMEIROS ANOS

A doutrina de Jesus havia começado a se expandir pelos países da Europa, adentrando assim nos territórios da Alemanha, que estavam tão necessitados da mesma como as demais nações. E o cristianismo, ao estender-se por ela, foi suavizando os bárbaros costumes de seus habitantes, que aprenderam a cultivar a terra, a qual até então havia sido árida, com o que lograram dar fertilidade e atrativos a seu solo e comodidade e maior elevação a suas existências.

Por aquela época, habitava nos Países Baixos um cavaleiro, o duque de Brabante, a quem todos guardavam respeito por causa de sua valentia, e admiração por seu afã em ser justo e seus piedosos costumes. Sua esposa possuía, como ele, excelentes qualidades, e o senhor havia abençoado sua união com uma filha, chamada Genoveva, à qual educavam baseando-se estritamente na doutrina cristã.

Desde sua mais tenra infância, esta começou a demonstrar sua inteligência e seus notáveis dotes morais, já que à sua piedade unia uma grande amabilidade, encantadora doçura, notável modéstia e singular laboriosidade. A Genoveva lhe agradava sentar-se aos pés de sua mãe quando esta ocupava-se em fiar, e deste modo, enquanto movia sua roca pequenina, conversava com ela, que a escutava surpresa, pois a menina lhe dirigia perguntas muito engenhosas.

Quando a mãe lhe perguntava algo, por sua vez, a pequena respondia de um modo tão oportuno que mesmo os que estavam presentes ficavam assombrados por sua concisão. E compreendiam que possuía conhecimentos superiores à sua idade, deduzindo que, com o tempo, poderia chegar a ser uma mulher extraordinária.

Aos dez anos, ela podia ser vista na igreja, entre seus pais, ajoelhada em seu pequeno genuflexório, com seus olhos azuis levantados devotamente para o céu, com a abundante e ondulada cabeleira loira emoldurando seu belo rosto. E então, ao contemplá-la tão modesta e graciosa, acreditavam estar vendo um anjo caído do céu. Mas ainda se parecia mais ao encontrar-se junto à cabana de algum pobre, repartindo, entre os pequenos, vestidos que ela mesma confeccionava e distribuindo entre as pobres mães o dinheiro que seu pai lhe dava para seus próprios adornos. Genoveva cresceu deste modo e assim passou a adolescência. Todos a queriam e admiravam, e as mães a apontavam a suas filhas como exemplo.

Naquela época, os cavaleiros permaneciam às vezes durante muito tempo fora de suas mansões feudais, para exercitarem-se nas armas ou dedicarem-se à caça. E em uma das tais caçadas, o duque de Brabante esteve em eminente perigo de morte, sendo salvo pelo conde Sigfrid, um jovem bem apessoado, de família nobre e bons sentimentos.

Muito agradecido, o duque o convidou a que visitasse sua residência, e desde aquele momento começou a considerá-lo como a um filho. Tal foi o carinho que sentiu, que o duque chegou mesmo a ponto de entregar-lhe Genoveva como esposa, não sem antes estar seguro de que a jovem correspondia ao amor que Sigfrid sentia por ela.

O casamento foi celebrado com grande magnificência, já que o conde Sigfrid era tão rico e poderoso quanto o duque. Houve bailes e torneios, nos quais tomaram parte os mais renomados cavaleiros do país, e se obsequiou com abundante comida aos serventes, ao mesmo tempo em que os bufões alegravam as festas, nas quais regozijavam-se também os vassalos, tanto os que formavam a milícia, como os que se ocupavam na agricultura.

Finalizados os festejos, chegou o dia em que Genoveva, deixando aos seus, tinha que partir com seu esposo. Uma grande tristeza se estendeu pelo território do duque, pois todos lamentavam que sua querida amiga deixasse o castelo para mudar para o castelo do conde Sigfrid. Seus pais eram os mais tristes, e quando o duque deu a Genoveva um abraço de despedida, disse-lhe:

— Sua mãe e eu nos aproximamos da velhice e não sabemos se teremos a grande felicidade de vê-la de novo. Seja como for, conserve sua confiança em Deus. Com a certeza de que, aonde quer que vá, Ele estará a seu lado. Seja fiel aos conselhos que sua mãe e eu lhe demos e não deixe o caminho da virtude, por mais difícil que este possa chegar a ser. Se fizer assim deste modo, estaremos satisfeitos com sua sorte e poderemos viver e morrer tranquilos.

Em seguida, sua mãe, muito comovida, a abraçou também, e disse com voz estremecida:

— Adeus, filha querida. Que Deus a console e proteja. Ignoro o que o destino lhe reserva, mas sinto que me oprimem o coração sombrios pensamentos. Você foi sempre a alegria de nossa casa, nosso consolo e a maior ilusão de nossa vida. Continue tão boa como até agora, e não permita que nos sintamos frustrados na fé que pusemos em você. Dessa maneira, se Nosso Senhor dispuser que não nos vejamos mais na Terra, nos encontraremos no céu.

Então, os duques voltaram-se para Sigfrid para dizer-lhe:

— Apreciado filho, nossa filha está unida a você para toda a vida. Ame-a muito, respeite-a, cuide dela.

— Sim, filho. Até agora éramos nós quem fazíamos isso. Hoje a entregamos confiantes. Faça com que nunca nos arrependamos dessa confiança.

Sigfrid e Genoveva ajoelharam-se então para receber sua bênção e o bispo Hidolfo, que era quem lhes havia casado, vendo que os olhos de Genoveva estavam cheios de lágrimas, aproximou-se dela e lhe disse:

— Não chore, nobre senhora. Deus tem planos traçados para o seu futuro. Desfrutará de uma imensa felicidade, mas conseguida por meios muito diferentes daqueles que todos supõem. Chegará o dia em que daremos graças a Deus por tal feito, com lágrimas de gozo. Não se esqueça, minha filha, de tudo quanto lhe disse, e tenha a certeza de que não passará muito tempo sem que lhe aconteça um extraordinário sucesso. Suplico a Deus que não os abandone!

As enigmáticas palavras do bispo, considerado um homem santo, convenceram os presentes de que Genoveva estava destinada pela providência para um futuro notável. E o sentimento por sua partida foi substituído por um singular contentamento.

Genoveva saiu em companhia de seu esposo. Na porta do castelo já esperava uma brilhante escolta que havia de acompanhar os desposados. Ela, muito comovida, montou no cavalo que lhe estava destinado, ajudada por seu marido. Este montou em um brioso cavalo, e pouco depois, os dois desapareciam na distância, escoltados por seus companheiros, formando uma brilhante e atraente comitiva.

2
O CONDE PARTE PARA A GUERRA

O castelo do conde Sigfrid estava situado no cume de uma colina. Seu aspecto era algo sombrio, mas quando os novos esposos chegaram, tudo nele parecia alegre e cheio de colorido. Em correta formação, aguardavam-lhes todos os serventes, vestidos com seus melhores trajes. Haviam adornado a entrada do castelo com grinaldas e folhagens, e o chão também estava coberto com uma profusão de flores. Muitos dos vassalos haviam acudido também a recebê-los, e os olhares de todos convergiam em Genoveva, pois queriam admirar a beleza de sua nova senhora, a qual deixava entrever a formosura angelical de sua alma.

Quando Genoveva desmontou, saudou a cada um sorridente, dirigindo-lhes palavras cheias de bondade e doçura, com as quais todos experimentaram a grande sensação de que seria para eles como uma bênção do céu. E certamente, não foram falidas suas esperanças, já que a nova condessa foi desde o primeiro instante um prodígio de afabilidade para seus vassalos. Interessava-se especialmente pelas crianças e pelos anciãos, e enquanto mimava e acariciava os pequenos, demonstrava o maior respeito e consideração para estes últimos.

Todos a quiseram bem, pois, rapidamente, mas seu afeto e agradecimento cresceram enormemente ao inteirar-se de que a nova ama havia disposto que aquele ano fosse dobrado o soldo dos serventes e o pagamento dos soldados, ao mesmo tempo em que perdoava a seus vassalos o pagamento do arrendamento e outorgava aos necessitados lenha e provisões.

Todos se felicitavam, comovidos, por terem senhores tão generosos como o conde e a condessa, por cuja sorte rogavam fervorosamente a Deus. Mesmo os soldados mais veteranos e curtidos, que não pareciam comover-se por nada, não puderam evitar que seus olhos se enchessem de lágrimas.

Transcorridos aqueles dias de regozijo geral, a vida no castelo voltou à normalidade, em torno à feliz existência dos esposos. Não obstante, tão prazerosa vida só durou algumas semanas.

Um dia, depois do jantar, estavam Genoveva e seu esposo conversando tranquilamente, quando lhes pareceu escutar soar no exterior do castelo bélicos clarins. Alarmado, Sigfrid foi ao encontro de seu escudeiro, que entrava rapidamente naquele momento, e lhe perguntou:

— O que foi?

— Guerra, senhor! — respondeu ele. — Os mouros, procedentes da Espanha, invadiram a França e ameaçam destruir tudo a sangue e fogo. Acabam de chegar dois cavaleiros com ordens do rei, e é preciso que nos ponhamos a caminho o mais rápido possível, para nos reunirmos com o exército sem perda de tempo.

Efetivamente, os mouros, que desde o norte da África haviam se estendido primeiro pela Espanha, guerreando encarniçadamente com os cristãos espanhóis, haviam conseguido atravessar os Pirineus e adentravam agora para o norte da Europa.

Sigfrid, ao conhecer tão graves notícias, recebeu dignamente seus hóspedes, fazendo-os passar à sua sala de cerimônias. Genoveva, enquanto isso, deu ordem de que fosse preparada comida para os recém-chegados.

Uma vez, o conde, tendo feito as honras a seus inesperados hóspedes, ocupou-se ativamente durante toda a noite em fazer seus preparativos para a campanha, mandando mensagens a suas tropas e dando as oportunas ordens para que tudo mantivesse seu ritmo normal no castelo durante sua ausência.

Os olhos de Genoveva, tão risonhos ultimamente, encheram-se agora de dor ante a iminente partida do esposo, e sentiu-se cheia de amargura ao pensar que talvez se despedissem para sempre, e que não voltaria a vê-lo jamais.

Mas ao amanhecer, quando todas as hostes do conde estavam reunidas, e a comitiva, com ele à frente, se encontrou disposta a partir para cumprir com seu dever, Genoveva, dominando sua imensa dor, aproximou-se de seu esposo, e dando cumprimento à tradição daquela época, entregou-lhe a lança e a espada, dizendo-lhe:

— Use estas armas em defesa de nossa religião e de nossa pátria. Sejam em suas mãos instrumentos protetores dos inocentes e sirvam para castigar aos temíveis infiéis que nos ameaçam.

Mal havia terminado de pronunciar tais palavras, no entanto, quando se sentiu presa de um desvanecimento, pois a assaltavam sinistros pressentimentos. O conde a susteve nos braços, mas antes que pudesse ordenar trazer algo para reanimá-la, já havia voltado a si. Então, os soluços agitaram seu peito enquanto dizia:

— Meu querido Sigfrid! Talvez não voltemos a nos ver nunca mais!

Ele, abraçando ternamente à esposa, respondeu-lhe:

— Não tenha medo, querida Genoveva. Deus me protegerá em todos os combates e voltarei são e salvo para seu lado. Estamos tão próximos da morte em nossa própria casa como nos campos de batalha, e só Deus pode nos livrar dela, em uma ou outra parte. Com seu auxílio, podemos nos sentir tão seguros nos mais sangrentos combates como em nosso inexpugnável castelo. Não se inquiete por mim, querida minha, pois eu parto completamente tranquilo e confiante n'Aquele que em todas as partes nos protege.

Depois, abraçando fortemente a sua esposa e dando-lhe um afetuoso beijo, prosseguiu:

— Tenho confiança, por outra parte, na fidelidade de meu intendente, ao qual dei ordem de que cuide de você em todos os aspectos e da ordem e da administração do castelo. É honrado e fiel e saberá merecer sua confiança como soube merecer a minha. Mas, antes de tudo, lhe encomendo à proteção de Deus. Pense em mim, esposa minha, e me tenha sempre presente em suas orações. Adeus!

Genoveva o acompanhou até o pé da escada de honra. Saíram atrás dele todos os cavaleiros e então abriu-se o grande portão do castelo para dar-lhes acesso à esplanada exterior. Soaram então os clarins e as espadas, desembainhadas para saudar ao conde, e brilharam ao serem feridas pelo sol nascente.

3
AS ARTIMANHAS DO MALVADO GOLO

Sentindo-se triste e isolada na solidão do castelo, Genoveva encontrava consolo na oração. Durante a noite, muitas eram as horas que passava insone, assaltada por suas imprecisas inquietudes e pela saudade de seu esposo ausente, e eram unicamente as repetidas rezas que mitigavam um pouco sua dor e sua intranquilidade. Pedia por seu amado, para que Deus lhe livrasse dos perigos nos campos de batalha, e também por ela, ainda que não soubesse exatamente que mal a ameaçava.

Vivia em completo retraimento, retirada em seus aposentos do castelo. Quando o sol, começando a se elevar no céu, principiava a iluminar os bosques nas redondezas, Genoveva se sentava junto a uma janela, depois de rezar suas orações matutinas, e se dedicava a confeccionar primorosos bordados, que umedecia frequentemente com suas lágrimas, as quais caíam sobre as flores do desenho como gotas de orvalho.

Quando a campana da capela do castelo anunciava a santa missa, deixava seus afazeres e acudia a escutá-la devotamente. Às vezes, até mesmo descia até a capela em suas noites de insônia, parecendo-lhe que ali estava mais perto do divino protetor.

Também recebia com frequência a visita de jovens que habitavam a aldeia contígua ao castelo, às quais ensinava a fiar e a coser, pacientemente, enquanto lhes contava histórias de seres que haviam chegado à santificação ou façanhas de valentes guerreiros.

Visitava com assiduidade os pobres e os enfermos dos arredores, os quais tinham nela uma verdadeira protetora, cheia de compreensão e de ternura. Falava-lhes docemente, lhes dava os remédios por suas próprias mãos, e todos a louvavam.

E ainda que afastada de tudo quanto constituísse relação frívola e mundana, não deixava por isso de cuidar da vigilância do castelo, pois não desejava que, na ausência do conde, seus subordinados se afastassem da vida ordenada e virtuosa que sempre se havia levado ali.

Quanto ao intendente do conde, chamado Golo, o qual o conde, segundo informara Genoveva, confiou o cuidado do castelo, a administração dos bens e mesmo a proteção de sua própria esposa, era um homem astuto, que, sob a capa da boa educação, de uma falsa doçura e de seu dom de simpatia que atraía às pessoas, conquistando sua confiança, ocultava uma sinistra confiança e um egoísmo nato.

Todos os seus atos, apesar das aparências, estavam ajustados a este proceder, e não lhe preocupava se eram bons ou maus, justos ou injustos, sempre que lhe produzissem benefícios e satisfação.

Depois que o conde Sigfrid partiu para a guerra, Golo começou a se sentir dono absoluto do castelo. Vestiu trajes mais ricos que os de seu próprio amo, e começou a esbanjar em festas e banquetes os bens do conde. Os fiéis e antigos servidores deram-se conta, com pasmo e inquietude, de que a cada dia eram tratados com mais orgulho e impertinência por aquele homem que também a eles havia enganado com sua falsa suavidade. Os trabalhadores viram minguar seus salários, e os pobres, tão acostumados a serem socorridos pelos generosos donos, comprovaram com grande pena como o pão lhes era negado agora.

Golo ainda se mostrava respeitoso somente com Genoveva, ainda que sua amabilidade fosse suspeita, estranha, excessiva. Ela, ainda que não pudesse adivinhar o motivo, experimentava, não obstante, em sua presença, uma estranha inquietude, e se mostrava digna e reservada para com ele, conversando unicamente sobre assuntos referentes à administração da casa. E ainda nestas conversas, como se já intuísse o que iria acontecer, lhe aconselhava sempre que cumprisse estritamente as ordens do conde e não se apartasse em absoluto de seu dever.

Golo não se preocupava com sua atitude, pois sabia que Genoveva era submissa e dócil e que tendo lhe dito seu esposo que confiasse nele, não se atreveria a pedir-lhe contas nem a intrometer-se em seus assuntos. E foi assim que começou a diminuir o tesouro do conde Sigfrid. Genoveva começou a se dar conta de tais dispêndios e sentindo-se incapaz de enfrentar ela própria aquele homem, que não compreendia como pôde inspirar tanta confiança a seu esposo, redobrava suas preces, rogando a Deus fervorosamente que fizesse Sigfrid regressar logo ao castelo, para restabelecer a ordem e a honestidade, que via diminuir no ambiente geral.

Mas Golo não só atuava de um modo improcedente, mas também estava incubando em seu interior sentimentos pouco nobres para Genoveva. Sua juventude e sua beleza haviam feito nascer nele uma paixão violenta, que um dia se atreveu, por fim, a confessar à infeliz jovem.

Ela, cheia de espanto e de repugnância, rechaçou suas desonestas propostas, e então, o maligno servidor, exasperado ao ver que seus indignos propósitos haviam fracassado, decidiu causar a perdição da condessa, ainda que para isso tivesse que acudir à pior falsidade imaginável.

Genoveva, já convencida de que sob o exterior aparentemente nobre do intendente se ocultava uma alma perversa, temeu por sua própria segurança. Pressentia novamente grandes desgraças, mas que desta vez tinham um fundamento: a vingança daquele homem diabólico. Intuía que ele estava maquinando algum terrível plano para conseguir sua desgraça, e sentindo-se desamparada, planejou comunicar a seu esposo tudo quanto sucedia.

Com tal fim, escreveu uma missiva, dando conta a Sigfrid de tudo quanto acontecia. Explicava-lhe com pormenores a abominável conduta daquele que acreditara tão dedicado, e lhe suplicava ardentemente que o afastasse de seu lado o quanto antes fosse possível.

Mas, como é sabido, não era fácil naquela época enviar missivas a quem se encontrava a grande distância. E quem desejava mandar notícias a alguém tinha que contar com um mensageiro que, a pé ou a cavalo, percorresse a distância que lhes separava, vendo-se exposto com frequência a grandes perigos antes de chegar a seu destino.

Assim, Genoveva, quando terminou a carta, solicitou a ajuda de Dracón. Este era um homem honrado, nobre e fiel ao conde, que, quando estava no castelo, ajudava Sigfrid na administração do mesmo, especialmente quanto a víveres. Agora se achava, como todos, sob as ordens de Golo, mas via com grande descontentamento seus depravados costumes e o modo vergonhoso como usava as riquezas de seu senhor.

Por isso Genoveva confiava nele. Mas Golo, que era sagaz, e ao qual quase nada passava inadvertido, descobriu os planos da condessa. E uma manhã, havendo Genoveva mandado chamar a Dracón para que este se apresentasse em sua câmara, permaneceu à espreita. Então o seguiu cautelosamente quando este se dirigiu ao encontro, e aguardou fora escutando. Genoveva falou com Dracón poucas palavras e logo pegou a carta que desejava que fizesse chegar às mãos de seu esposo. Mas quando já ia entregá-la, a porta abriu-se de repente e entrou Golo. Rapidamente cravou um punhal nas costas de Dracón, lançando ao mesmo tempo fortes gritos de socorro. O infeliz, depois de soltar um atroz grito de dor, caiu ao chão, desfalecido.

Aos gritos de socorro acudiram assustados os servidores do castelo, encontrando a condessa lívida, quase desfalecendo, com a garganta oprimida pelo terror e sem poder pronunciar nem uma só palavra. A seus pés se achava o cadáver do pobre servidor, cheio de sangue, enquanto a um lado, o maligno Golo brandia no ar o ensanguentado punhal, manifestando que estava orgulhoso de haver vingado a honra de seu senhor.

Com isso caluniava, não só o infeliz que jazia morto no chão, mas também a pobre Genoveva, a qual, não podendo acreditar no que escutava, encarava um a um os rostos ruborizados dos servidores, como se desejasse ver neles a incredulidade. Mas todos temiam Golo e nada disseram nem deixaram entrever.

Aproveitando seu absoluto poder, o malvado enviou a toda pressa um emissário ao conde Sigfrid, com uma mensagem repleta de vis mentiras e calúnias infames, na qual se acusava Genoveva, que era completamente pura e fiel, de mulher desonrada por vis paixões. Mas não satisfeito ainda com isso, e enquanto esperava a resposta de seu senhor, mandou encerrar a infeliz Genoveva na mais sombria masmorra do castelo.

Havia destruído a sincera carta que ela escrevera a seu esposo, e confiava que sua missiva conseguiria a reação desejada. Conhecia muito bem o conde, ao qual soubera enganar tão perfeitamente com sua máscara hipócrita, e sabia que ele, ao mesmo tempo bom, honrado e generoso, possuía também um gênio vivo, um forte caráter e que não consentiria a ninguém uma grave falta sem aplicar-lhe a sanção devida.

4
RESIGNAÇÃO NO CÁRCERE

O calabouço no qual haviam encarcerado a Genoveva era o que se destinava aos piores delinquentes e era o mais sombrio que havia no castelo. Antes, quando algumas vezes Genoveva havia se aproximado do mesmo, experimentara uma sensação de terror, pese a que quando isso tinha lugar era na ocasião de ir visitar os infelizes que estavam lá detidos. Agora era precisamente ela quem se achava no lugar daqueles desventurados, encerrada na lôbrega estância. A luz do dia entrava por uma seteira com grossos barrotes, e aquelas trevas, quase absolutas, tornavam mais sinistro e espantoso o lugar.

Quando Genoveva foi deixada só naquele horrível calabouço, deixou-se cair sobre o monte de palha úmida que de agora em diante ia servir-lhe de leito e ficou ali quieta, invadida por uma angústia terrível e por um horror que lhe gelava até os ossos. Então, ao voltar os olhos, viu junto à palha um cântaro com água e um pedaço de pão negro e duro, que era todo o alimento que lhe haviam deixado.

Então, sentindo-se horrivelmente desgraçada, começou a chorar com amargura; mas logo, tentando diminuir sua enorme dor, se ajoelhou sobre o chão úmido, e tratando de conter suas lágrimas e conservar a confiança, rezou deste modo.

— Oh, meu Deus! Veja-me aqui, reclusa neste espantoso lugar! Dirijo-lhe minhas mais ardentes preces! Somente o Senhor pode escutar minha voz e compreender qual é minha aflição e minha desolação. Não tenho mais ninguém além do Senhor nestas espantosas trevas, nesta atroz solidão. Meus pais nada sabem de minha desgraça, e, portanto, não podem me ajudar. Meu esposo está muito distante de mim e tampouco pode vir me socorrer. Somente o Senhor, que é o Criador, Dono e Senhor de todas as coisas, pode conseguir que se abram as portas deste cárcere! Oh, meu Deus, ajude-me, eu lhe suplico! Não me abandone em meu sofrimento! Tenha compaixão de mim!

Sentindo-se esgotada, exausta por tão imensa aflição, voltou a deixar-se cair no imundo catre. As lágrimas brotaram novamente de seus olhos, incontidas. Naquela aterradora solidão, sentindo-se desamparada por todos, tinha a impressão como se algo em seu interior tivesse já morto, ou como se tudo fosse produto de um horripilante pesadelo. Assim passou longas e intermináveis horas, sem que ninguém se aproximasse, nem para consolá-la, nem para sequer fazê-la sentir a presença de um ser humano.

A angústia a dominava, o frio penetrava até seus ossos, o temor do que pudesse acontecer-lhe aumentava mais ainda seu indescritível padecer. Só de vez em quando a intensa aflição parecia ceder um pouco, a sensação de loucura que a atenazava se suavizava e seus pensamentos, se bem que igualmente tristes, discorriam um tanto mais ordenados. E em um desses instantes de relativa calma, pensou:

"Que felizes são os seres humanos, ainda os mais desgraçados, se forem se comparar comigo! Podem contemplar o céu azul e o maravilhoso verdor dos campos. Preferiria nestes momentos ser uma simples pastora em lugar de uma infeliz condessa, como sou! Trocaria a nobreza de meus trajes pelas toscas roupas de um mendigo. E ainda ganharia muito com a troca! Já não me resta nada, pois me tiraram tudo! Até me privam da luz do sol e só me deixam as trevas por companhia."

Levantou então os fatigados olhos, avermelhados pelo pranto, para a pequena seteira, e juntou de novo as mãos trêmulas, devotamente, acrescentando:

— Somente o Senhor, meu Deus, continua sendo o Deus da infeliz Genoveva. Somente o Senhor é meu sol e constitui minha única esperança. Graças a Sua ajuda, vou sentindo que a serenidade começa a inundar meu interior, e que estas lágrimas que verti são, para meu coração doente, como o orvalho para as flores.

Naquele ponto recordou as palavras pronunciadas pelo santo bispo Hidolfo, depois da cerimônia de sua boda, e levantando os braços ao céu, exclamou:

— Era esta, santo bispo, a felicidade que previu para mim? Depois da felicidade que gozei, tinha que acontecer para mim a estância neste cárcere sinistro?

Notando, no entanto, que o consolo que Deus lhe enviara aumentava e que a resignação limava as arestas daquele sofrimento, que pouco antes lhe resultava insuportável, agregou:

— Posto que Deus permitiu que eu permanecesse neste calabouço, deve ser porque me convém em algum sentido. Sem dúvida, atrás desta aparência de desastre, se oculta algum desígnio que convém para a salvação de minha alma. Já sei, Senhor, que o que às vezes nos parece sofrimento injusto pode muito bem ser um benefício, escondido atrás de uma enganosa e atemorizante envoltura. Sob a amargura dos sofrimentos pode ocultar-se a doçura da felicidade, assim com sob a casca desagradável de alguns frutos se oculta sua saborosa polpa. Sendo assim, meu Deus, não devo me queixar mais por minha sorte. De agora em diante, aceitarei submissa qualquer pena que me mande. Resigno-me a Sua vontade, pois sei que nem um fio de cabelo pode cair de minha cabeça se o Senhor não quiser.

Ao terminar tais rezas, Genoveva foi sentindo-se mais e mais confortada, e em seu interior espalhou-se um alívio singular que só podia vir do céu. Uma voz interna, inaudível, essas vozes que somente percebem com clareza os seres que mantêm uma estreita relação com o Criador, por meio da devoção, lhe disse então:

— Não se afaste, Genoveva. Ainda irá sofrer muito, mas Deus saberá lhe compensar de suas aflições e chegará um dia em que todas desaparecerão. Muitos dos que rodeavam hoje a considerem culpada, mas no momento adequado, sua inocência resplandecerá de tal modo, que seu brilho ofuscará até mesmo o sol.

Alentada pelas celestiais promessas, Genoveva fechou os olhos docemente e dormiu tranquila, como se ao invés de encontrar-se sobre aquela mísera palha, se encontrasse em seu cômodo leito.

5
NASCIMENTO DO FILHO DESVENTURADO

Há vários meses que Genoveva estava encerrada no lôbrego calabouço. Não lhe permitiam ver pessoa alguma, e ninguém nunca aparecia no umbral da maciça porta que cerrava a masmorra, tornando-a incomunicável com o resto dos seres viventes, exceto Golo. Mas ela teria preferido que aquele homem sinistro não a visitasse nunca, pois o indigno servidor só o fazia para repetir novamente suas desonestas propostas, ameaçando Genoveva de mantê-la encerrada para sempre naquela prisão se não cedesse a seus depravados desejos.

— Antes morrer que faltar a meus sagrados deveres — respondia ela, firmemente. — Prefiro parecer desonrada aos olhos dos seres humanos, do que o ser realmente diante de Deus.

Algo veio consolá-la, no entanto, em meio a tanta tortura física e moral. Algum tempo depois da partida de seu esposo, Genoveva já havia começado a alimentar a esperança de ser mãe, e Deus quis, efetivamente, alentá-la por este meio, mandando-lhe uma bela criança.

A jovem sentiu-se invadida por um suave contentamento. Possuía, por fim, algo que era só seu e que ninguém poderia tirar-lhe. É claro que a sua alegria por tal nascimento mesclava-se à dor de que seu filhinho tivesse que ver a primeira luz naquela masmorra, se é que podia chamar-se de luz ao minguado raio que penetrava pela seteira. Só a caridosa mulher do carcereiro a ajudou e confortou no parto, desprezando as ameaças do intendente Golo naquele sentido. E assim começou a vida do filho do conde Sigfrid e da infeliz Genoveva.

Ela desejava dar-lhe o alimento de seu peito, mas as angústias e privações que sofria naquele tempo a impossibilitaram de dar aquele alimento ao recém-nascido. E ao comprovar isso, desolada, colocou o pequeno em seu regaço e, acariciando-o ternamente, disse-lhe entre gemidos:

— Querido filho meu, teve que vir a este mundo entre os muros de um cárcere. Nada parecia que iria lhe faltar, por ser filho de quem é, e agora sua mãe não tem sequer um pano para o envolver. Tão débil como estou, como é possível que possa alimentá-lo? E em lugar de colocá-lo em um luxuoso berço, só posso lhe dar um monte de palha suja ou as duras pedras deste chão. Talvez a umidade deste lugar penetre em seu corpo, e morra de frio. Estas pedras, encharcadas de água, que molham meu filho, devem ser tão duras e cruéis como os homens. Mas não! São menos insensíveis que eles, e devem se comover ao contemplar nossa miséria, pois esta água que vertem parecem lágrimas que querem unir-se ao meu desconsolado pranto.

Ajoelhou-se então sobre o chão duro, e levantando a criança para o céu, sustentando-a com seus braços, disse:

— Oh, meu Deus! Ao Senhor, que me deu a vida, consagro esta criança, pois ela lhe pertence. Não posso mandá-la ao templo para que derramem sobre sua cabeça a água do batismo, cumprindo assim o rito de nossa fé cristã, posto que não permitiriam a ninguém levá-lo, e eu, bem o vê, Senhor, não posso sair dessa miserável cela. Mas, se permitir que saiamos vivos daqui, eu lhe prometo, Deus onipotente, que o educarei segundo a santa doutrina do Evangelho, ensinando-o a amar-lhe e a servir-lhe, e fazendo-o conhecer Seu filho, nosso Salvador; eu lhe ensinarei também, portanto, a amar a seus semelhantes e a se afastar do caminho do mal, considerando-o como um sagrado propósito que me confiou. A fim de que no dia em que disponhas, possa recebê-lo em sua glória sem mancha de pecado, e a mim, sua mãe, me seja possível dar como cumprida a guarda do tesouro que me confiou. E como acredito que o Senhor está em todas as partes, e que onde o Senhor está, ali está também Seu templo, eu farei agora as vezes de mãe, pai e sacerdote, ao mesmo tempo, e lhe darei um nome.

Depois de ter pronunciado fervorosamente tais palavras, tal como lhe saíam de seu reto coração, ficou absorta contemplando o pequeno, e depois, tomando em suas mãos o cântaro onde punham a água para beber, batizou a criança jogando água sobre sua cabeça e dando-lhe o nome de *Desditoso*. Realizado este importante ato, Genoveva disse, olhando para seu filho:

— Eu lhe dei o nome que me pareceu melhor para você, já que nasceu entre sofrimentos e lágrimas, na mais completa miséria e na mais opressiva solidão. Eu o batizei com água, mas também com minhas lágrimas, pois elas regaram sua inocente cabeça enquanto eu o batizava.

Então lhe deu um forte beijo e, enrolando-o em suas roupas, colocou-o no colo, exclamando:

— Meu regaço será seu berço, meu filhinho!

Então olhou à sua volta, mas só viu um pedaço de pão negro e duro, pois nisso consistia ainda seu alimento.

E tomando-o, seguiu dizendo:

— Este terá de ser também seu sustento, meu pequeno. É muito duro e quase não basta para me alimentar, mas eu o amaciarei, e Deus, em seu imenso poder, fará que resulte suficiente para nós dois.

Mascou, então, alguns pedacinhos, que deu logo ao menino, o qual, depois de ingeri-lo, dormiu tranquilamente. Genoveva o olhava dormir, e não podendo evitar temer por ele, suplicava entre suspiros:

— Compadeça-se, Senhor, desta inocente criança. Nesta horrível prisão, onde não se renova o ar, nem entra a luz do sol, nem penetra o saudável calor, o que será dele? Se o Senhor não o proteger especialmente, meu Deus, perderá seu viço e, como uma flor que não vê o sol nem sente o ar, morrerá. Bondoso Senhor! Não permita que morra tão miseravelmente. Eu o amo tanto! Daria mil vidas se as tivesse para salvar a dele. Mas sei que o Senhor o ama ainda mais que eu, pois Seu amor pelos seres é muito maior ainda do que uma mãe pode sentir por seu filho.

Confortada, como se algo em seu interior lhe desse a certeza da proteção divina, disse com mais sossego:

— Sim, meu Deus... o Senhor não esquece jamais os seus. Eu sei disso, e nisso ponho minha confiança.

O menino despertou, então, como se tivesse escutado as palavras de sua mãe, e depois de olhá-la alguns instantes, esboçou um sorriso que encheu de consolo e esperança o coração de Genoveva. Emocionada, estreitou fortemente a criança contra seu peito, dizendo-lhe suavemente:

— Sorria, meu filho, sorria. Felizmente, não pode compreender ainda de que modo veio à vida, nem quantos são os horrores que nos envolvem. Tampouco pode temer pelo futuro, que tão incerto se apresenta, de modo que continue sorrindo, meu anjo, pois seu sorriso ilumina minha alma e parece me dizer que não desfaleça, que, ainda que nada me tenham deixado, Deus está cheio de riquezas e pode me dar tudo quanto necessito. E que ainda que os homens nos abandonem, o Pai celestial está ao nosso lado e nos amparará. Enquanto você sorrir, eu não posso chorar.

E assim foram se passando os tristes dias do cárcere de Genoveva. Mas, em meio a seus padecimentos, ela sentia-se mais confortada porque tinha ao menos o consolo e a companhia de seu filhinho. Por outro lado, Golo não lhe havia feito novamente suas desonrosas propostas, parecendo tê-la deixado em paz, e isto aliviava muito suas angústias.

Mas quando estava mais tranquila, ainda em meio ao seu monótono e incômodo viver, um dia abriu-se de novo a porta da prisão para deixar passar o malvado intendente. Seu semblante oferecia um aspecto mais brutal do que nunca, falava num tom mais dominador, e uma maior maldade se advertia em seus trejeitos. Genoveva já havia compreendido que aquele homem era capaz de realizar o ato mais selvagem, e desta vez o temeu, não somente por si mesma, como em outras ocasiões, mas também, e principalmente por seu filhinho.

Com os olhos chamejantes de furor e voz impressionante, Golo exclamou:

— Tive consideração demais com você! Vinha evitando o momento de resolver isto definitivamente. Minha paciência terminou! Se continuar se negando a meus desejos, se não deixar de falar estupidamente de sua virtude quando eu lhe fizer minhas propostas, comece a chorar por você e por seu filho, pois eu lhe adianto que se não resolver acatar a minha vontade, ambos morrerão em breve!

Genoveva, com uma serenidade vinda da força de seu espírito, e como se não temesse as terríveis palavras que aquele monstro de maldade pronunciara, respondeu com voz clara e contundente:

— Prefiro morrer mil vezes a cometer uma ação que minha consciência reprovará e que me fará envergonhar-me diante de Deus, de meus pais e de meus semelhantes.

Ao escutar tão firme resposta, Golo ficou lívido, e depois de dirigir um olhar de intenso ódio a Genoveva, voltou-lhe as costas, saindo precipitadamente do calabouço, cerrando a porta com tanta força que as escuras paredes pareceram estremecer. E durante um momento, Genoveva pôde escutar o ruído de seus passos enquanto se afastava furioso.

6
PERTO DA MORTE

Naquela noite, Genoveva havia se deitado, como de costume, no mísero catre com seu filhinho nos braços. Ainda que ela estivesse desconfortável, tentava que seu pequeno, graças ao calor de seu peito, pudesse sentir-se mais abrigado e confortável. A criança dormia e ela, sem dúvida, havia também dormido, ainda que fosse aquele sono leve, do qual qualquer ruído a despertava. Não podia conciliar um sono profundo, já que a contínua inquietude fazia que se sobressaltasse por tudo, e qualquer ruído a fazia voltar à triste realidade de sua miserável existência.

Então, por volta da meia-noite, estava desperta. Apesar de todas as suas horas serem agora matizadas de aflição, e serem lentas e pesadas, ainda o eram muito mais aquelas nas quais a escuridão era dona e senhora do calabouço. Apenas a estreita seteira deixava penetrar um pouco da luz da lua, e os temores de Genoveva cresciam em tais horas, durante as quais sua incerteza pelo futuro se tornava mais e mais inquietante.

De repente escutou uns leves golpes na porta da prisão e uma voz baixa e trêmula que dizia:

— Senhora condessa, está acordada? As lágrimas me afogam e não sei se conseguirá me compreender bem... Quer aproximar-se? Tenho que comunicar-lhe uma grave notícia. Esse malvado intendente, ao qual Deus irá castigar pelo que faz... Oh, senhora!

Impressionada por aquelas lágrimas e pelo tom carinhoso das palavras, Genoveva levantou-se, depois de recostar cuidadosamente o menino sobre a palha para que não despertasse, e aproximou-se da abertura gradeada. Uma vez junto à mesma, assustada ainda, perguntou:

— Quem é?

— Berta, a filha do carcereiro. Jamais poderei esquecer o quanto me ajudou em outros tempos, senhora. Esteve ao meu lado quando tive aquela enfermidade... Eu a quis bem desde o primeiro momento, porque vi que era muito boa, mas logo a quis muito mais e senti tanta gratidão pela senhora que desejei poder demonstrar-lhe algum dia. Mas nada posso fazer, por desgraça. Tudo já está disposto. Não posso me opor a este homem infame!

Deteve-se alguns momentos, pois a voz estava embargada, e com crescente espanto de Genoveva, seguiu dizendo:

— Senhora, o que irei lhe dizer é para que ao menos esteja um pouco preparada. É a única forma que posso ajudá-la, pois se Deus não mandar um milagre esta mesma noite... morrerá. Golo acaba de receber uma carta do senhor conde, seu esposo, na qual lhe ordena que os mate. Mas não o culpe! Ele acreditou nas mentiras deste monstro, que o convenceu de que a senhora faltou com seus deveres de esposa. Escutei quando Golo dava as instruções. Irão cortar-lhe a cabeça. Mas, meu Deus! Isso não é tudo ainda. O conde não reconhece como sendo seu o filho e ordenou que também o pequeno seja morto.

A jovem, assaltada por incontidos soluços, teve que deter seu relato, pois ainda que tentasse manter sua firmeza, ao menos para consolar aquela dama, que sempre fora tão boa para ela, considerava que o que ia acontecer era terrível e não podia conter sua dor. Mas, depois, tratando de se acalmar um pouco, continuou entre lágrimas:

— A aflição que sinto... não me deixa falar com calma. Mas é preciso que aproveitemos este pouco de tempo que ainda nos resta. Quando soube do que iria acontecer, senti uma grande dor, e ainda que deitasse, para tentar dormir, não pude sequer fechar os olhos. Esperei que o silêncio reinasse no castelo, para que ninguém pudesse me ver chegar até a senhora, e então deixei meu leito para vir até aqui, com todo o cuidado. Não podia nem imaginar que pudesse morrer sem que eu lhe dissesse quanta gratidão e afeto sinto pela senhora, e o quanto desejo ser-lhe útil. Se quiser me pedir algo, ou me dar algum recado, faça-o. Fale, boa condessa. Desafogue seu coração. Que não se percam com sua vida os segredos que guarda e que poderiam demonstrar sua inocência. Talvez eu possa fazer isso algum dia. Talvez seja eu a pessoa escolhida para isto.

Genoveva não podia sequer articular palavra, tão profundamente a haviam transtornado as veementes palavras da jovem. Mas compreendendo que, como ela dizia, era preciso aproveitar o tempo restante, e sobrepondo-se a seu horror com grande esforço, disse à Berta:

— Se não for lhe causar algum dano, minha filha, me traga luz, papel, tinta e pena, pois quero escrever uma carta a meu esposo, a quem tão vilmente enganaram.

Berta se afastou, diligente, pelo longo corredor da prisão, e pouco depois tornava a aparecer, entregando a Genoveva o que esta lhe pedira. Então esta, esforçando-se para que sua mão não tremesse nem desfalecesse seu coração, apoiou o papel no chão, pois não tinha nem mesa nem banco que pudesse usar, e escreveu o seguinte:

"Meu muito querido esposo:

"Escrevo-lhe esta carta da triste solidão de meu cárcere, para que ela esclareça a verdade de tudo quanto me aconteceu. Quando a receber, meu corpo repousará no sepulcro, mas minha alma se apresentará diante de Deus livre das culpas que me imputam.

"Não sinto temor algum ao pensar que irei me encontrar diante d´Ele, pois Ele sabe tudo quanto ocorre para todos os seres e vê minha inocência ainda que os humanos me condenem. Irão me matar como se fosse uma criminosa e nada posso fazer para evitá-lo, mas quero lhe dizer, Sigfrid amado, que não sou culpada do delito que me atribuíram.

"Isso eu juro perante Deus, e pense se poderia jurar em falso agora que sei que minha alma está próxima de enfrentar-se com seu Criador, que irá julgá-la.

"Posto que já não tem remédio, peça a Deus somente, como eu peço agora, que lhe perdoe. Mas tenha em mente o que eu lhe digo, para que em outra ocasião não condene jamais a ninguém sem tê-lo escutado primeiro, sem haver deixado que se justifique, e que esta seja a última sentença que você dite, impensadamente.

"Procure, por outro lado, apagar a mancha que este injusto ato seu irá deixar em sua vida, dedicando-se à prática das boas obras, pois se em lugar de fazer isso, se desesperar e se afligir sem fazer nada proveitoso, de muito pouco irá lhe servir. Tenha em mente, também, que não existe somente esta vida, mas que se vive outra existência, na qual dentro de pouco vou entrar. Talvez volte a ver sua Genoveva algum dia e conseguirá, por fim, se não o esteve na Terra, ficar completamente seguro de meu amor e de minha inocência.

"Também ali poderá conhecer nosso filho, que não pode viver neste mundo cheio de tristezas e injustiças, e naquele lugar não haverá nenhum ser malvado que com suas mentiras e artimanhas consiga nos separar, pois no céu, para consolo dos humanos, reina a mais completa justiça.

"Recomendo-lhe que cuide sempre de meus queridos pais; irá ser grande a sua dor ao conhecerem minha triste sorte; console-os o melhor que puder e trate-os como se fosse seu verdadeiro filho. Não posso escrever-lhes agora, pois tampouco teria meios de fazer chegar até eles minha missiva, mas diga-lhes que sua filha nunca foi indigna de seu nome nem de seus ensinamentos e que, apesar das aparências, morreu inocente.

"No que diz respeito a Golo, mesmo sendo verdade que sua culpa é grande, não o mate em um arrebate de cólera ao saber a verdade. Perdoe-o assim como eu o perdoo agora, eu lhe peço com toda a minha alma. Não quero que nem a mais leve sombra de ódio ou de vingança empane estes meus últimos momentos, que quero sejam os mais puros de minha vida. Nem desejo que por minha causa seja vertida uma gota de sangue.

"Não guarde rancor aos meus verdugos; em lugar de odiá-los, ocupe-se em ajudá-los e a suas famílias. Não fizeram mais que cumprir as ordens de seus superiores, e sem dúvida o fizeram contra sua vontade.

"Em relação a Dracón, seu fiel servidor, que lhe foi leal até o último momento, recebendo em pagamento só uma terrível morte, pode estar seguro de que não cometeu nenhuma falta. Socorre, pois, a sua aflita viúva e converta-se em um verdadeiro pai para seus pobres filhos, pois se eles estão desamparados, é só por causa de seu pai ter chegado até o último extremo para servir-lhe, quando eu ia entregar-lhe uma sincera carta para que fosse entregá-la em suas mãos. Morreu a nosso serviço, tenha isso em mente, e reabilite-o publicamente.

"Suplico-lhe também que recompense Berta, a filha do carcereiro, que se ofereceu heroicamente, pois não ignora os perigos a que se expõe, a entregar-lhe esta carta quando regressar. É a única que me permaneceu fiel nestes terríveis momentos ou, pelo menos, a única que pôde chegar até a mim, agora que tudo quanto me rodeia me parece hostil.

"E agora, adeus, querido Sigfrid. Adeus pela última vez. Não padeça por minha morte. Não sinto grande pena ao deixar esta vida, que teve tantos dissabores para mim, apesar de ser tão curta. Recorde-se, sobretudo, que sou inocente e que meu amor e meu perdão estão contigo. E até na hora da morte e mesmo depois dela, sigo sendo sua fiel esposa.

Genoveva"

Enquanto escrevia tão longa carta, na qual desafogava tudo quanto lhe oprimia o coração, Genoveva não pôde evitar que as lágrimas caíssem sobre o papel, e foi com tais salpicos, que em alguns pontos mancharam a tinta, que a entregou a Berta, com mão trêmula, rogando-lhe que a guardasse com muito cuidado em lugar seguro, onde ninguém pudesse encontrá-la, entregando-a somente ao conde Sigfrid, em mãos, quando regressasse da guerra.

Depois, em um impulso agradecido e generoso, tirou um bonito colar de pérolas que usava e que agora constituía seu único adorno, e o deu à serviçal Berta, dizendo-lhe:

— Aceite este colar de pérolas, minha amiga, que lhe ofereço em pagamento às lágrimas que derramou por minha desgraça. Suas lágrimas de compaixão foram para mim, nestes momentos horrendos, mais valiosas que todas as pérolas que possam ser tiradas dos mares.

A aflição colocou um nó em sua garganta, impedindo-a de seguir falando por alguns momentos. O pranto apareceu de novo em seus olhos, apesar da valentia que desejava sustentar, e afogados soluços ressoaram surda e tristemente no pavoroso recinto.

O menino, que dormia sobre a palha, despertou então, também chorando, e a desgraçada mãe ajoelhou-se junto a ele e, colando o pequeno rostinho ao lado do seu, uniram-se as lágrimas de ambos. Talvez a criança intuísse, de um modo vago, o calvário pelo qual sua mãe estava passando.

Genoveva tentou conter-se de todos os modos, pois desejava conservar seu valor até o fim, e depois, dirigindo-se de novo à boa Berta, continuou:

— Perdoe meu pranto, que não pude conter. Trato de me manter firme, mas é tão horrível o que me passa, que há momentos em que não consigo. Mas agora já estou melhor, e confio me manter assim até o fim. Escute, Berta, não recuse este presente que lhe dou. Sei que nenhum interesse deste gênero a guiava ao me ajudar, mas quero que conserve estas pérolas como recordação. Foram-me entregues no dia de minha boda. Meu esposo presenteou-me com ela naquele dia tão feliz, o mais alegre de toda a minha existência. Desde então as uso sempre, parecendo-me que levava comigo um pouco do mesmo, especialmente desde que a guerra o afastou de meu lado.

Deteve-se alguns momentos, fatigada e dolorida, mas logo prosseguiu:

— Quero que agora seja seu, mas desejo que sua posse não seja motivo de vaidade. Não se envaideça, nem se fie demasiadamente nas coisas que só tenham sua base na matéria, sem querer elevar-se para o espírito. Tenha presente que o colo que adornaram foi cortado pelo machado do verdugo, e que minha desgraça lhe sirva para andar cautelosamente pelo mundo, sem confiar em todos os seres, por melhores que lhe pareçam. Se eu tivesse podido supor que o mesmo que me presenteou com esta joia para adornar minha garganta ia ordenar logo que me matassem, na flor da vida! Por isso compreenda que só devemos ter absoluta confiança em Deus. Peça sempre sua proteção e conserve por toda a existência as virtudes que possui, aumentando-as à medida que os anos passem.

Parou de novo, compreendendo que já havia dito tudo quanto podia dizer-lhe. E, finalmente, acrescentou:

— Agora, minha filha, vá descansar, pois fez bastante por mim, e ainda que queira, nada mais poderia fazer. Eu vou me preparar, rezando, para abandonar este mundo e apresentar-me o mais pura possível diante de Deus, que é o único que pode nos julgar verdadeiramente.

Berta, profundamente comovida, nada pôde acrescentar. Os soluços subiam à sua garganta e não queria com eles fazer sofrer mais ainda a desventurada. Por isso se afastou rapidamente, contendo-se a duras penas. Então, Genoveva se ajoelhou, juntou as mãos devotamente e, elevando os olhos para o alto, começou suas preces, que acreditava serem as últimas neste mundo.

7
SALVOS NO ÚLTIMO INSTANTE

Um pouco mais tarde abriu-se a porta do calabouço e entraram ao mesmo tempo dois homens mal-encarados, um dos quais trazia na mão um machado muito afiado. Ao vê-los entrar, a pobre Genoveva compreendeu que seu fim estava já muito próximo, e ajoelhando-se de novo, com seu filhinho nos braços, voltou a rezar, suplicando a Deus que lhe concedesse o valor que precisaria durante os momentos que viriam a seguir.

A luz da tocha que um dos verdugos carregava iluminava tenuemente o rosto da condessa, e ambos os homens, apesar da dureza que tinham que ter, devido a seu ofício, não puderam deixar de se comover ao constatar os estragos que o tempo na prisão haviam produzido no rosto da jovem.

Quando chegara ao castelo, com seu esposo, era jovem, com as bochechas rosadas, os olhos brilhantes, os lábios rosados. Agora, uma lividez quase cadavérica tomava conta de seu rosto, seus lábios pareciam sem vida, e os olhos, que se esforçavam por manter-se serenos, tinham, não obstante, uma impressionante tristeza.

Por outra parte, seu filhinho, apesar de encontrar-se em seus braços, junto ao seu colo acolhedor, estava chorando, e aquele pranto infantil aumentou a confusão que havia acometido aqueles dois homens, que tinham o encargo de matar mãe e filho.

De todo jeito, dispostos a cumprir com seu dever, que agora consistia somente em obedecer ao intendente Golo, dominaram o esboço de compaixão que haviam experimentado. Um deles, o que segurava o machado que iria cortar a cabeça de Genoveva e a do seu infante, ordenou à jovem com sua voz rouca e cavernosa:

— Levante-se e siga-nos, levando seu filho.

Genoveva se levantou com grande esforço. Estava exausta, e tão impressionada ao imaginar a horrível morte que ia sofrer, que temia não poder se manter de pé. Se pelo menos tivessem salvado seu filho! Se respeitassem sua vida, cuidando dele atentamente, e o entregassem a seu pai quando este regressasse, ela teria ido mais confortada para o suplício. Mas pensar que também seu pobre filho teria aquela morte atroz aumentava seu espanto e diminuía suas forças.

"Sustentai-me, Senhor — rogou interiormente. — Dê-me o valor necessário para seguir com estes homens e terminar minha existência com certa dignidade. Contenha esse pranto desesperado que me sobe aos olhos, que me afoga a garganta. Dê-me forças, meu Deus, ou cairei desfalecida, sem poder dar um só passo."

O Senhor a escutou, pois sentiu-se um pouco mais fortalecida, em meio à sua angústia, e pôde avançar uns passos para a porta da masmorra. Tantas vezes havia desejado que esta se abrisse para dar-lhe passagem! Mas era para a liberdade que queria ir, tal como sua inocência merecia, e não para essa morte infamante, a morte dos criminosos.

O menino havia parado de chorar, e quando ela o olhou, viu que ele lhe sorria suavemente. Pobrezinho! O que podia saber das perfídias dos seres humanos, de suas paixões e de suas vinganças? Estreitou-o fortemente contra seu peito, dando graças a Deus de que sua pouca idade lhe impedisse de se dar conta do que ia acontecer.

Genoveva, seguida pelos verdugos, saiu da prisão depois de dizer, mais resignada:

— Coloco-me nas mãos de Deus Todo Poderoso. Que a graça d'Ele nos assista a todos.

O calabouço estava situado ao extremo de um escuro corredor, muito longo, e mais longo ainda se pareceu à débil e atormentada Genoveva, que já havia estado ali, como dissemos, para socorrer os desventurados presos. O homem que carregava a tocha lhes precedia, para iluminar aquele caminho tortuoso, que hoje o era ainda mais para a desgraçada. Genoveva o seguia, com seu filhinho muito apertado entre seus braços, e fechava a lúgubre comitiva o verdugo, levando o afiado machado, e seguido de um mastim de grande tamanho.

Quando terminaram de percorrer o longo corredor, chegaram a uma porta maciça de ferro. O homem que ia à frente introduziu na fechadura uma grossa chave e apagou a tocha. Cruzaram o umbral, encontrando-se já todos em pleno campo, perto de um espesso e intrincado bosque.

A noite de outono era bastante clara, pois a lua, se destacando no azul escuro do céu, filtrava sua luz esbranquiçada por entre os galhos das árvores, que eram agitados de vez em quando por rajadas de vento, próprias da estação.

Os dois homens, no mais completo silêncio, um silêncio que angustiava mais ainda o coração da infeliz condessa, iam se internando na espessura do bosque, seguidos por ela. Durante o trajeto, para seguir se confortando espiritualmente, Genoveva não cessava de rezar mentalmente, apertando com suavidade o bebê que levava nos braços e que não chegaria à vida adulta.

Também ele era vítima da cruel calúnia, e ainda que não pudesse compreender, havia sido repudiado por seu verdadeiro pai, o qual, obcecado por haver dado crédito a um ser diabólico, não o reconhecia como filho.

Por fim, a silenciosa comitiva chegou a um pequeno clarão do bosque rodeado de corpulentas árvores, lugar escolhido certamente de antemão pelo encarregado da execução. Este, cujo nome era Conrado, ordenou então com tom contundente:

— Pare, senhora! Este é o lugar onde deve ser executada a sentença.

Ela obedeceu, com os olhos arregalados pelo espanto, e então, o mesmo que antes falara, acrescentou:

— Ajoelhe-se.

Assim o fez Genoveva, com pernas trêmulas, compreendendo que por fim o temido momento havia chegado.

— Agora, dê-me seu filho! — voltando-se para seu companheiro, ordenou: — Você, Roger, vende-lhe os olhos.

Roger, que trazia o machado em uma das mãos, aproximou-se de Genoveva, querendo pegar o pequeno infeliz com a outra. Então, Genoveva, sentindo-se invadida subitamente por um poder sobrenatural, apertou com mais força a criança contra seu peito, e elevou seus olhos cheios de lágrimas para o céu, suplicando ardentemente:

— Senhor, entrego-lhe minha vida, se não se pode mais evitar tal castigo! Mas não consinta que ele seja sacrificado! Salve-o, meu Deus, salve-o!

— Pare com estas preces! — exclamou bruscamente o verdugo. — Não irá ganhar nada com isso, nem opondo resistência. Tenho ordens para cumprir, e é melhor que se submeta de bom grado. De outro modo, não fará mais que nos atormentar durante mais tempo, pois o resultado final irá ser o mesmo.

Mas tais palavras não convenciam Genoveva, que continuava chorando, como se uma voz interior lhe dissesse que ainda era possível algo parecido a um milagre; que apesar das cruéis aparências, ainda podiam ser salvos, ou, pelo menos, seu querido filhinho. Por isso continuou dizendo, com uma veemência que não compreendia ter-lhe surgido em meio à sua grande debilidade:

— Escutem-me, eu lhes rogo! Não posso acreditar que sejam tão insensíveis para nos matar com toda tranquilidade. Sei que não fazem mais que cumprir as ordens de um malvado, mas, têm coragem de matar uma inocente criaturazinha? Que pecado cometeu esse pobre anjo para que tenha que sofrer esta morte horrenda? Deixem-no com vida! Eu não oferecerei resistência, ainda que seja inocente, não me rebelarei ante a morte. Sofrerei submissa se o salvarem. Já não me importa nada, exceto meu filho. Matem-me, mas respeitem sua vida. Podem escondê-lo em alguma parte, salvando-o dessa injusta morte. Certamente vocês poderiam levá-lo até onde estão meus pais, para que cuidem dele.

Os dois homens nada diziam, mas em seus olhos ela pareceu ver uma centelha de compaixão, pelo qual seguiu dizendo, cada vez com mais firmeza:

— Sei que lhes seria difícil fazê-lo chegar até meus pais sem que corressem perigo. Se Golo visse o menino, seria capaz de matá-lo com suas próprias mãos, assim como mataria a vocês também. Se é isso o que temem, deixem-me também com vida, para que eu possa cuidar dele.

Detendo-se só uns segundos para tomar alento, Genoveva seguiu implorando, com um tom que, apesar de tudo, comovia os dois homens, os quais sem dúvida não acreditavam na culpa da condessa, que sempre fora tão boa com todos desde sua chegada ao castelo.

— Prometo-lhes que não sairemos jamais desses bosques. Golo ignorará para sempre que nos deixaram viver. Não desejo voltar a ter contato com outros seres humanos. Causaram-me tanto dano que, ainda que rogue a Deus por eles, não tenho nenhum interesse em voltar a sua companhia. Peço-lhes como uma pobre mendicante, apesar de ser sua senhora. Recordem minha linhagem; tanto por parte de meus pais como agora, pelo de meu esposo, sou nobre, e, no entanto, não vacilo em ajoelhar-me frente a vocês e suplicar-lhes. Acaso lhes causei dano alguma vez? Sempre me esforcei por fazer todo o bem possível, tanto em minha casa como depois, ao me converter em sua condessa. Se deixei de fazer algum bem, digam-me, pois eu não o percebi. Acreditam, realmente, que sou culpada do delito que Golo me imputou? Não, leio em seus semblantes, em seus olhares, que não acreditam. Poucos devem acreditar, e, no entanto, devo morrer por isso. Pensem, agora ainda podem fazê-lo. Pensem em sua consciência e no remorso que irão sentir depois de matarem dois seres inocentes. Porque se agora não tiverem misericórdia de nós, se em seus corações não sentirem a piedade, como poderão esperar que Deus a tenha com vocês no dia do juízo? Não querem se expor a serem condenados por toda a eternidade por causa deste delito. O que conseguirão com tal crime? Uma recompensa material, só isto. Mas eu lhes digo que as recompensas que Deus dá são muito melhores. E não temam Golo! O senhor os protegerá contra ele, se realizarem este bem. Não derramem sangue inocente, pois quem assim o fizer não encontrará paz nesta vida nem sossego no Além.

Genoveva havia pronunciado com ímpeto este longo pedido, impulsionada por uma força que naquele momento teria julgado incapaz de ter. E os dois homens que a escutavam estavam realmente comovidos pelo tom de ardente sinceridade que animava suas palavras.

Não obstante, Conrado, ainda não convencido, temendo apesar de tudo Golo, a quem sabia capaz de todos os crimes, empunhou o afiado machado, e respondeu:

— Eu não tenho nenhuma responsabilidade neste ato. Não faço mais que cumprir as ordens que me foram dadas, como um servidor que sou. Ignoro se é justo ou não o que vou fazer, mas sobre isto não irei responder ante a justiça divina, já que sou mandado. Se sua condenação é injusta, o conde e seu intendente é que terão de dar contas disso.

Apesar de tão contundente resposta, e observando atrás dela um oculto desejo de libertá-la, Genoveva seguiu dizendo, cada vez com mais calor e emoção, pois as lágrimas escorriam por seu rosto enquanto falava:

— Levante os olhos para o céu e veja! A lua se oculta entre as nuvens, como se estivesse envergonhada, e não quisesse presenciar o crime que vai cometer. Veja como, ao se esconder, sua cor se transforma, deixando de ser de um azul prateado para se tornar um tom vermelho de sangue. De agora em diante, cada vez que a vir adquirir essa cor, pensará que ela o acusa por seu delito e não poderá ter tranquilidade. E quando a lua brilhar no céu com seu tom argênteo, recordará desta noite, e isto será como um espinho sempre cravado em seu coração.

Naquele momento, o vento começou a rugir de novo entre as árvores, como fizera anteriormente, mas com mais força, e Genoveva, sentindo-se cada vez mais fortalecida, como se forças celestiais a inspirassem, continuou dizendo:

— Escuta como ruge o vento! Veja como se agitam os galhos das árvores. É como se a natureza inteira estremecesse e se alterasse por causa do duplo crime que vai cometer. Tenha certeza de que onde quer que escute uma só folha agitada pelo vento, recordará de seu malvado ato e o remorso o torturará. Vê as estrelas brilhando no firmamento? Elas são como olhos celestes que contemplam sua vil ação. Será possível que irá se atrever a cometer tão horrendo crime ante estas poderosas testemunhas? E ainda que as estrelas não sejam mais que criações de Deus, mas por detrás delas, e em todas as partes, vendo-nos sempre, está o próprio Criador, que conhecerá seu malvado proceder e lhe pedirá contas em seu dia.

Já um tanto fatigada, apesar de tudo, por causa de suas impetuosas palavras, e compreendendo que sem a ajuda celestial não conseguiria convencê-los, pois, ainda que não fossem maus, se tratava de seres firmes, mas bem duros, acostumados a obedecer sem replicar, Genoveva, deixando então de se dirigir a eles, levantou os olhos para o céu e suplicou fervorosamente:

— Oh, meu Deus! O Senhor que ampara especialmente àqueles que estão mais abandonados, comova o coração destes homens, pois eles também têm esposa e filhos, e não posso acreditar que sejam insensíveis às desgraças alheias. Detenha seus braços para que não despojem da vida a uma infeliz mulher e a uma indefesa criança. Por nós e por eles lhe suplico, Senhor. Por nós, pois é duro perder a vida tão jovem, e vivendo, poderei de um modo ou de outro cuidar deste filho que me entregou. Por eles, pois seria horrível carregarem em sua consciência tão odioso crime.

Foi ao escutar tais palavras que Roger, o qual não havia pronunciado nenhuma palavra até então, permanecendo somente como um espectador do que estava acontecendo, secou uma lágrima que lhe escorria pela face, e com voz falhada pela emoção, disse:

— Esta mulher me comove profundamente, Conrado. Será melhor cedermos a seus pedidos, e deixá-la viver.

— Mas, Roger! Sabe o que está dizendo? O que faria o intendente Golo se soubesse disso?

— Não sei. Só sei que, se alguma cabeça tem que ser cortada, devia ser a dele. O culpado de tudo é ele, e você sabe disso tão bem quanto eu. A condessa tem razão em tudo quanto disse.

— Talvez tenha. E mais, reconheço que nunca acreditei que tenha traído a nosso senhor, o conde. Mas ordens são ordens e...

— Há também outros deveres, Conrado, lembre-se. Basta recordar como a condessa o tratou quando esteve enfermo. Ela sempre foi muito boa para todos nós, e isto não podemos esquecer facilmente.

— Eu não esqueço, e daria qualquer coisa para não me encontrar agora neste bosque, tendo que cumprir uma missão tão desagradável. Não me importo de decapitar os verdadeiros culpados, pois eles merecem. Mas ela...

— Então, vamos deixá-la viver, como pede!

— Como é possível fazer isto? Golo saberia, e então seriam nossas cabeças que rolariam pelo chão. E apesar de tudo, me interessa conservar a minha. De que nos serviria perdoar-lhe a vida, se com isso perderemos a nossa?

— Ele não a encontrará. Ela saberá se esconder.

— Não sei de que maneira poderia viver no bosque, sem ajuda de ninguém. E Golo a encontraria, ainda que se escondesse nas entranhas da terra. Além disso, você sabe o que ele nos exigiu antes de partir.

— Sim, já sei. Ele quer que lhe apresentemos uma prova irrecusável de sua morte.

Roger, que era o que estava mais interessado em conservar a vida de Genoveva, não recuou em seu empenho, e continuou dizendo:

— Se for só este o problema, creio que poderemos solucioná-lo. Ocorreu-me uma solução.

— Qual?

Roger vacilou antes de continuar, pois sabia que o que ia dizer não seria do agrado de seu companheiro. Mas depois, seguindo o fio de seu repentino plano, respondeu:

— Vamos matar o cão e apresentar a Golo seus olhos, dizendo que são os de Genoveva.

— Matar o meu fiel cão!

— Sei que isto lhe será penoso, mas somente desta maneira o intendente poderá ter certeza de que ela morreu. Não se dará conta da troca. Sua consciência está tão turvada que acreditará em tudo quanto lhe dissermos, sem parar para considerar nada.

O semblante de Conrado, contraído, demonstrava a luta que se travava em seu interior. Sentia muito afeto pelo nobre animal e lhe doía ter que sacrificá-lo. Não obstante, os argumentos de Genoveva primeiro e agora os de Roger o impulsionavam a aceitar.

Ao dar-se conta de sua indecisão, seu companheiro prosseguiu:

— Não vacile mais, Conrado. Sei que gosta desse cão, pois tem sido seu companheiro em muitas ocasiões, mas tenha em mente que a vida da condessa e a de seu filho, que também é filho de nosso senhor, o conde, vale muito mais. É preciso sacrificar uma ou outra. Creio que é a única solução que existe.

— De todo jeito, é arriscado. Podemos nos dar mal. E neste caso...

— Tenha confiança em Deus. Ele nos ajudará por nossa boa ação, e nos protegerá fazendo que nenhum dano nos alcance. Por outro lado, só desta maneira poderemos seguir vivendo, com a consciência tranquila. Não pode deixar de compreender isso, e não é possível que seu coração se mostre insensível às suplicas de quem, antes de tudo, é nossa senhora.

— Não é que seja insensível a sua dor. Quando entramos no calabouço já me comoveu seu aspecto. Mas tínhamos recebido ordens e...

— Ainda tem medo de Golo? Não pense nele! Eu tenho fé que nada de ruim nos acontecerá. Perdoar a vida a um inocente é uma ação louvável, e quem assim o faz, nada deve temer. Cedo ou tarde, obtém sua recompensa.

Animado pela confiança que demonstrava seu companheiro, Conrado se deu por vencido, e concordou:

— Bem. Estou disposto a me arriscar.

Aproximando-se de Genoveva, a fez prometer que nunca em sua vida deixaria aquelas paragens, as quais estavam sempre totalmente desertas. Era um terrível juramento, pois a jovem condessa não podia sequer imaginar de que maneira poderiam viver ela e seu filhinho naquela solidão, sem a proteção de ninguém. Mas tudo era preferível a perder a vida, e assim, não vacilou um instante em jurar o que Conrado desejava.

Por sua parte, Roger também jurou que não diria a ninguém nem uma palavra de tudo quanto ocorrera aquela noite no bosque, e que não iria jamais visitar a condessa em seu estranho retiro.

Então, e para ter ainda mais certeza, Conrado fez que a condessa e seu filho penetrassem ainda mais naquelas paragens, fazendo-a seguir por intrincados caminhos até o mais recôndito do bosque. Genoveva estava rendida. Tantos sofrimentos, e depois, as ardentes e esgotantes súplicas, aquela longa caminhada...

Já não podendo resistir mais, ainda que sem deixar por um momento de estreitar a seu filho contra seu peito, deixou-se cair ao pé de uma árvore, sem forças para continuar adiante.

— Olhe, ela não pode seguir mais — disse Roger, que foi o primeiro a se dar conta da situação.

— Claro. Não sei nem como pôde chegar até aqui. Tantos meses de cativeiro a esgotaram.

— Teremos que deixá-la neste lugar...

— Eu queria escondê-la mais ainda, para que fosse de todo impossível a alguém encontrá-la, mas, o que vamos fazer?

— Creio que já é suficiente. Ninguém vem até este lugar. Por que iriam fazê-lo? Não são caminhos de passagem. Vamos deixá-la aqui mesmo.

— Sim, vamos deixá-la.

Aproximando-se dela, Conrado disse:

— Temos que deixá-la aqui, condessa. Desejaríamos muito poder ajudá-la em algo mais, mas não podemos fazer mais nada.

— Eu sei, bons servidores — replicou ela, com voz fatigada. — Eu também queria ter a companhia de pessoas nobres em quem pudesse confiar. Mas o céu dispôs as coisas assim, e devo acatá-las. O principal é que nos permitiram seguir vivendo.

— Sim. Mas, que tipo de vida os espera aqui, só os dois? É preciso que Deus os ajude muito especialmente.

— Ele o fará. Estou certa disso. Ele proverá, como sempre. Nunca nos abandonou. Até nestes momentos permitiu que comovesse seu coração.

— Nunca desejamos sua morte, condessa, nem meu companheiro nem eu. Tenha certeza disso. Habitualmente cumprimos com indiferença nosso trabalho, pois aqueles que executamos são delinquentes. Mas neste caso, tudo era tão diferente...

— Vocês têm bom coração e Deus os premiará! Rezarei por vocês, por sua segurança e sua felicidade.

— Também nós desejamos que Deus os ajude e vele por sua vida e a de seu filho — interveio Roger. — Que Ele tenha mais compaixão de você do que tiveram os homens.

Despediram-se então dela, e se dirigiram ao local onde haviam deixado o cão amarrado. Não sem pesar, pois, era na realidade um nobre companheiro, sacrificaram o mastim, tirando-lhe logo os olhos. E empreenderam o caminho de regresso para o castelo.

Quando chegaram, perguntaram a um servente onde se achava Golo, e ele lhes indicou que estava em um aposento retirado. Havia-lhes ordenado que se apresentassem assim que tivessem realizado as execuções, e assim o fizeram, sem poder evitar experimentar, todavia, algum temor. Como reagiria o malvado intendente quando lhe mostrassem os olhos do cão?

Ao entrar no tal aposento, encontraram Golo sentado em uma cadeira, com a cabeça entre as mãos, em uma atitude de abatimento e desespero indescritíveis.

Detiveram-se impressionados ao vê-lo de tal modo, pois seu aspecto os sobressaltou. Durante alguns momentos, nenhum dos dois se atreveu a avançar. Mas então Conrado, compreendendo que era necessário decidir-se, adiantou-se alguns passos.

— Senhor...

Não os tendo escutado entrar, tão abstraído estava, Golo se assustou, dando assim prova evidente do estado de sua consciência.

— Quê? Quem é?

Tranquilizou-se um pouco ao ver que se tratava de Conrado, ainda que fosse com expressão receosa que perguntou:

— O que tem para me dizer? O que aconteceu?

— Nada de particular, senhor — replicou Conrado, tentando que sua voz soasse firme. — Só viemos dizer-lhe que as ordens que nos deu já foram cumpridas. A condessa e seu filho estão mortos. Como prova do que realizamos, trazemos como solicitou, uma prova do feito. Os olhos da vítima!

Conrado estendeu para o intendente os olhos que havia tirado do cão, mas Golo, levantando-se, enfureceu-se inexplicavelmente, ainda que atrás de sua fúria se ocultasse um terror imenso, insuportável. E foi com voz furibunda, mas ao mesmo tempo aterrorizada, que exclamou:

— Não quero ver estes olhos! Leve-os! Saiam daqui!

Desembainhando a espada, com grande estupor dos homens, avançou para eles, que retrocediam, assustados, temendo que houvesse enlouquecido. E então o escutaram dizer, cada vez mais atônitos:

— Não quero escutar falar mais dessa mulher, ouviram bem? Nunca mais! Nem sequer pronunciem seu nome em minha presença. Se algum de vocês se atrever a fazê-lo, afundarei minha espada em seu coração. Vão-se daqui, partam para onde eu não possa vê-los! Não voltem a aparecer em minha presença.

Fugindo do alcance daquela espada, que parecia, efetivamente, buscar seus corpos para afundar-se neles, Conrado e Roger saíram rapidamente daquele local, não podendo compreender ainda que o atroz remorso que Golo experimentava era o que o fazia parecer um possuído do demônio.

Quando o intendente voltou a ficar só, embainhou de novo a espada com um gesto cansado, pouco comum nele, que sempre agia resolutamente. Deixou-se cair na cadeira que antes ocupava e pensou:

"Não posso compreender o que me ocorre. Antes me pareceu que seria para mim um refinado prazer me vingar de Genoveva, mas agora que ela está morta, não posso pensar nisso, me é insuportável. Daria uma de minhas mãos para que o que foi levado a cabo não houvesse sido cumprido. Agora vejo claramente que, quem se deixa arrastar pelas paixões, acaba causando um grande dano a si mesmo."

8
NO ESCONDERIJO DA CERVA

Quando viu que os dois homens se afastavam, abandonando-a irremissivelmente, Genoveva experimentou tal desolação interior, tal medo, que sua debilidade a venceu e ela perdeu os sentidos. Durante um longo momento, a inconsciência lhe permitiu descansar de sua inquietante sorte. Mas logo, pouco a pouco, voltou a si.

Primeiro, ao encontrar-se naquele bosque, com seu filho nos braços, ficou surpresa; mas depois, todos os acontecimentos voltaram a seu cérebro dolorosamente. Recordou-se de Berta, que lhe havia comunicado sua sentença de morte; logo, aos dois homens que tanto medo lhe causaram a princípio.

Depois, mostraram-se compassivos, e graças à bondade oculta sob aquele tosco aspecto, ela e seu filho estavam ainda com vida. Mas então, ao se dar conta de que não podia esperar a presença de nenhuma outra pessoa naquele afastado lugar, sentiu-se tão só e desamparada!

As nuvens haviam coberto quase por completo o firmamento e tudo parecia mais escuro, pois a lua estava oculta e sua luz não punha no bosque seus claros argentados, tão confortadores em meio às trevas. Por outra parte, o vento havia aumentado e agora uivava de um modo sinistro por entre as árvores. Em um dos galhos daquela árvore em que Genoveva se recostava, piava uma coruja, e não distante de ali, uivavam os lobos.

Genoveva estremeceu, temerosa, e ajoelhando-se, disse assustada:

— Oh, meu Deus! Estou aterrorizada. Ajude-me, Senhor, para o qual não existem as trevas nem a noite, pois é todo luz. O Senhor, que é Criador e Mantenedor de todas as coisas; o Senhor, que nunca abandona aqueles que em sua bondade confiam, e que me vê, com seus poderosos olhos, ainda que ninguém mais possa ver-me, proteja-me. Agradeço-lhe com toda a alma que tenha salvado a minha vida e a de meu filho. Livrou-nos daquele homem perverso e minha gratidão estará sempre com o Senhor. Mas agora nos encontramos em um bosque sombrio, e se escutam os uivos dos lobos... Temo, meu Deus, de que nada nos serviu escapar das mãos dos homens, se iremos cair nas garras das feras! Mas não, eu sei que não permitirá, e em suas mãos ponho minha vida e a de meu filho. Sob sua proteção nenhum dano pode nos acontecer. E contando com ela, viverei sem temor.

Depois de haver pronunciado esta oração, sentou-se de novo junto à árvore, apoiando nela seu filhinho, que estava desperto, mas tranquilo. No entanto, era hora de voltar a dormir. E assim, começou a niná-lo ternamente em seu regaço, entoando baixinho as notas de uma suave canção.

Pouco depois, o menino dormia de novo. Quanto a ela, apesar de seu desejo de manter incólume a fé em Deus, não conseguia evitar que silenciosas lágrimas deslizassem por sua face. Era uma grande prova aquela a que estava sendo submetida, e não ia superá-la sem sofrimento.

Seu futuro era tão incerto, sua solidão tão completa, que não é estranho que, apesar de sua enorme confiança em Deus, se sentisse triste. Por outro lado, há tanto tempo que se alimentava mal, que suas forças estavam quase perdidas por completo.

De todo jeito, tentou se acalmar. E ainda que não dormisse toda a noite, sentiu-se paulatinamente mais tranquila quando as primeiras luzes do alvorecer começaram a colorir o céu com seus belos tons.

***

Mas a esperança de Genoveva ficou frustrada, pois ela esperava que a manhã se apresentasse linda e quente, com um céu azul que infundisse ânimo, um fraco sol que pudesse reconfortar-lhes... Mas em lugar disso, aconteceu que, ao se afastarem as trevas, só deixaram um céu cinzento, encoberto, muito parecido com a noite que acabava de findar.

A manhã outonal era sombria e chuvosa. Genoveva, à luz daquela claridade minguada, foi examinando os arredores, mas a inspeção não lhe trouxe o mais leve alívio. O lugar em que se achava oferecia um aspecto selvagem e deprimente. Viam-se ali imponentes penhascos, escuros abetos, matagais espessos, árvores de grandes copas. O vento tornava-se cada vez mais frio e logo começaram a cair do alto flocos de neve, que foram espessando-se cada vez mais, caindo implacavelmente sobre a enregelada Genoveva e a pobre criança, que ela protegia quanto lhe era possível em seu regaço.

O pequeno sentia frio e, além disso, tinha fome, pois já fazia muitas horas que ele não comia nada. A infeliz mãe se colocou a buscar então um refúgio onde pudesse se abrigar, ao menos enquanto caísse a neve.

Talvez pudesse se ocultar momentaneamente no oco de alguma árvore ou na cavidade de alguma rocha... Ao mesmo tempo, tentava também encontrar algum tipo de fruto que pudesse servir-lhes de alimento.

Mas seus esforços resultaram vãos, pois não havia nenhuma árvore ou caverna em cujo interior pudessem se proteger. Quanto ao alimento, não encontrou nenhuma fruta, nem nada que fosse comestível.

Presa do maior desespero, começou a escavar a terra com suas delicadas mãos, e conseguiu extrair da mesma algumas raízes macias, que ela mastigou primeiro, dando-as logo a seu filho, para que as fosse ingerindo. Genoveva então – uma vez que, no seu afã em encontrar comida, nem sequer havia reparado nisso – viu que brotava sangue de suas mãos.

Secou-as com seu próprio vestido, e logo, segurando fortemente seu filho, voltou a se levantar, a custo de um grande esforço, pois estava exausta, e começou a andar sem rumo através do intrincado bosque, como se esperasse encontrar algo de que tanto necessitavam.

Depois de andar durante um longo tempo, viu um escarpado penhasco, o qual se dispôs a escalar para ver o que havia do outro lado. Assim o fez, pondo em jogo toda a sua força de vontade, e uma vez no alto, viu, não muito distante, um pequeno vale, fértil e de agradável aspecto.

Um pouco mais animada, encaminhou-se para lá, e ao chegar, descobriu entre o mato uma espécie de gruta, em cujo interior cabiam até três pessoas. Ao lado da entrada via-se uma fonte cristalina, cujas águas transparentes se precipitavam desde o alto do monte. Junto à fonte se elevavam algumas macieiras, mas aquela não era a época do ano em que elas frutificavam.

Uma espessa trepadeira, cujos frutos eram grandes abóboras, se aderia à rocha, enfeitando as escuras pedras. Mas não eram frutos comestíveis e, portanto, de nada lhes serviram de momento.

Genoveva entrou com seu filho na gruta, achando-se assim ambos resguardados do vento e da neve. Mas o frio penetrava também na gruta, pois não havia nela, naturalmente, porta alguma que pudesse impedi-lo. Entretanto, havia chegado o meio-dia e a fome atormentava cada vez mais Genoveva.

Também o pequeno sentia urgente necessidade de receber alimento, pois aquelas escassas raízes não fizeram mais que acalmar momentaneamente a fome, e de novo começou a chorar, causando com isso maior pesar a Genoveva.

Não sabendo o que fazer naquela terrível situação, a desventurada amontoou umas folhas secas que havia na gruta, depositou sobre as mesmas a criança, e ajoelhando-se, levantou os olhos ao céu, e com voz na qual, apesar da angústia, ainda se notava sua fé em Deus, orou assim:

— Meu Deus! Compadeça-se desta desgraçada mãe e de seu desfalecido filho. O Senhor que permite comer até mesmo aos corvos que voam por cima desta gruta e que não nega o sustento ao mais miserável verme que se arrasta pela terra, pode nos ajudar fazendo que ainda neste deserto achemos o alimento preciso para nos sustentar. O Senhor, Pai Nosso, não permita que pereçamos de fome. E assim como nos fez encontrar esta gruta para nos protegermos, nos proporcionará também o necessário sustento.

Pouco depois de Genoveva ter formulado esta confiante prece, as nuvens começaram a se desvanecer e em poucos instantes o sol luzia alegremente em um céu limpo, enviando seus brilhantes raios para o interior da gruta, a qual vivificava com seu calor.

Um pouco mais tarde, Genoveva notou certo ruído na trepadeira do exterior. O que o produziria? Algum animal do bosque, sem dúvida. Escutou o rumor de algumas folhas ao se desprenderem, e então, pois estava olhando para o umbral da gruta, divisou, com grande assombro seu, a esbelta figura de uma linda cerva.

Esta nunca havia sido perseguida por caçadores, e por isso não sentiu temor algum de Genoveva quando a viu. Aquela gruta era sua guarida habitual, e por isso avançou segura para o interior da mesma. Genoveva, que ignorava ainda se aquele animal podia causar-lhe algum dano, não pôde evitar uma expressão de espanto, que se transformou, não obstante, quando viu que a cerva se detinha à sua frente, tranquilamente, olhando-a com seus grandes e doces olhos.

Estendendo a mão, atreveu-se a acariciá-la, e ao notar que o animal aceitava com naturalidade – e até se diria com gosto – suas carícias, pensou:

"Se pudéssemos utilizar o leite deste animal para nosso sustento... As tetas estão cheias e não vejo seguindo-a nenhum filhote..."

Assim era, de fato, pois a cerva havia perdido há pouco seu filhote, e não usava o leite que enchia suas tetas. Genoveva pensou então que aquele nobre animal parecia ter-lhe sido enviado pela Providência em resposta às suas preces.

Pegou seu filho e o colocou sob uma das tetas da cerva. O pequeno, que estava realmente faminto, não demorou muito a sugar a teta com sua boquinha, ansiosamente, sorvendo o excelente leite. Genoveva, ao ver que ele recebia aquele alimento tão gostosamente, juntou as mãos, comovida e cheia de gratidão, para dizer:

— Oh, meu Deus, obrigada por esta ajuda! É triste que uma mãe tenha que usar estes meios para nutrir seu filho, mas o Senhor quer assim, e como eu confiava, não nos abandona.

A cerva, por sua parte, não opunha nenhum obstáculo, antes ao contrário, pois estava dolorida pelo excesso de leite desde que um lobo lhe arrebatara sua cria, e à medida que a criança ingeria o alimento, ela sentia-se também aliviada de seu mal-estar.

Quando saciou seu apetite, o menino adormeceu tranquilamente, e sua mãe, tomando uma parte de suas escassas roupas, o envolveu, deitando-o sobre as folhas secas, onde ficava mais protegido do ambiente exterior que, pese o sol, era fresco.

Ao ver que seu filho já estava bem alimentado e abrigado tanto quanto possível, achou ter chegado o momento de pensar também em si mesma, pois se sentia desfalecida e só uma força superior a carregava. Buscou, pois, entre as muitas pedras que ali havia, uma que tivesse um ângulo bem agudo, e segurando uma das abóboras às que antes já aludimos, a partiu em duas com a pedra, tirando de seu interior a polpa e as sementes. Deste modo, a abóbora ficou convertida em dois recipientes improvisados, parecidos com duas tigelas de tamanho médio.

Foi então buscar alguma forragem para dar à cerva, e regressou à gruta com ela e com as tigelas. Ao entrar, encontrou a cerva deitada no solo, semi-adormecida, em atitude totalmente pacífica, como se a companhia daqueles seres, até então desconhecidos, lhe fosse completamente natural.

Genoveva deu-lhe a forragem que para ela buscara, e enquanto o simpático animal comia, a ordenhou, enchendo com seu excelente leite as tigelas feitas com a abóbora. Então, contente por ter podido encontrar aquele inesperado alimento, e compreendendo que naquilo, como em tudo, havia a mão da Providência, ajoelhou-se e, levantando em suas mãos uma das metades da amarela abóbora, transbordando de leite puro, disse:

— Senhor, receba meus mais fervorosos agradecimentos por este puríssimo leite que nos proporcionou. Este presente é na verdade providencial, pois significa uma verdadeira dádiva em meio à nossa angústia e nosso desamparo. O Senhor é quem, de um modo maravilhoso, dispôs que isto acontecesse. Foi o Senhor quem fez que algum pássaro, ou algum eremita oculto nesta solidão, plantasse as sementes de abóbora que agora tanto me serviram. Foi o Senhor quem me guiou para esta gruta para que pudéssemos viver nela, alimentados por este pobre animal, apartando o temor de que meu pequeno e eu pudéssemos morrer de fome. Confio mais que nunca em sua proteção, Senhor, e entrevejo que me espera um futuro muito melhor. Saberei esperar, e se o Senhor seguir me mandando suas bênçãos, como até agora, não me afligirei com a crueza do inverno que se aproxima.

Finalizada tão veemente ação de graças, levou o alimento aos lábios. O leite era doce e espesso, e depois de tão prolongado jejum e de não haver comido ultimamente mais que pão negro, lhe pareceu néctar celestial, pois realmente, só se aprecia o valor das coisas quando se carece delas.

Tão comovida estava pelos acontecimentos, que seu contentamento não pôde deixar de se mesclar com o pranto, que corria por sua face enquanto bebia. Mas era um pranto consolador que aliviava a terrível tensão sofrida, pois agora já não se sentia desamparada. Estava convencida de que, apesar do forçado esquecimento dos homens aos quais era submetida, estaria protegida por Aquele que é maior que todos os seres juntos, pois os havia criado. E assim, uma vez tendo reparado suas decaídas forças com aquele líquido delicioso, murmurou para si:

— Que leite mais delicioso! Jamais havia tomado um alimento que me parecesse tão saboroso. Agora compreendo, meu Deus, o pouco apreço que dava aos excelentes manjares que comia na casa de meus pais primeiro, e logo na de meu esposo. Tentei ser boa com os pobres, mas agora me dou conta de que ainda não fiz o bastante, pois não podemos saber qual é o sofrimento dos famintos até que tenhamos nós mesmos experimentado a dor da fome. Nem o tormento daqueles que se sentem abandonados, até que não se experimenta no próprio coração tão terrível dor. E com quão pouco esforço os ricos poderiam mitigar as necessidades dos necessitados, e quantas contas aqueles que não o faziam teriam que prestar ao Senhor!

Depois de haver dado novamente graças a Deus por aquelas mercês, se levantou do chão e saiu outra vez da gruta. O que se propunha a fazer?

***

Andava pelo bosque, já muito mais sossegada, e recolhendo seu avental pelas bordas com uma mão, foi depositando ali o musgo fresco, que ia arrancando dos lugares onde se encontrava. Era preciso preparar para ela e seu filho uma espécie de leito onde pudessem descansar mais comodamente, já que sua estada ali ia ser indefinida.

Custou-lhe bastante para recolher musgo o suficiente, mas não tinha mais nada que fazer e, por outro lado, sabia que não podia faltar-lhe paciência naquele lugar agreste. Certo era que Deus velava por eles, mas compreendia que ela também devia fazer tudo quanto lhe fosse possível para que a inusitada situação na qual se encontravam fosse passageira. Assim, pois, calmamente foi transportando o musgo até a gruta, realizando várias viagens, distraindo-se até com aquele singelo afazer, pois tudo lhe parecia maravilhoso agora que não só havia escapado de uma infamante morte, mas também havia comprovado a ajuda que o céu lhe prestava.

Quando recolheu o musgo que achou suficiente, estendeu-o pelo solo da gruta, acondicionando-o de modo que sobre o mesmo pudessem caber ela e seu filho. Não podia se comparar, naturalmente, a uma boa cama, mas era mais macio que o duro solo.

Depois voltou a sair, como um passarinho que estivesse arrumando seu ninho. Pensava que a porta da gruta estava demasiado descoberta, quando soprasse o vento, este penetraria no interior, não havendo nada que o impedisse, gelando-os. Deste modo, seguindo uma ideia, foi buscar galhos macios, com os quais confeccionou uma espécie de cortina silvestre que logo colocou no umbral o melhor que pôde.

Não impedia a entrada, já que estava constituída em sua maior parte de matérias macias, as quais podiam ser apartadas com facilidade; e, por outra parte, assim ficava resguardada a gruta, não só do vento, mas também do frio, de certo modo, ao permitir que guardasse melhor o calor humano.

Também a cerva contribuía para aumentar o calor interior, pelo qual Genoveva agradecia cada vez mais o grande serviço que ela, inconscientemente, lhes prestava. A cerva estava sendo, na verdade, uma grande amiga para aqueles desamparados.

Por outro lado, os galhos exalavam um grato aroma, que era agradável de respirar no interior da gruta. E assim, aquela tosca morada pôde encerrar comodidades e gozos para aquela alma especial, que tudo esperava da Providência Divina.

Finalmente, fatigada, tanto pelas emoções sofridas como pelos trabalhos manuais que havia realizado, Genoveva sentou-se em uma rocha que havia no interior da gruta, e que servia bem para isso, como se se tratasse de um banco natural.

Depois do descanso, sentiu-se mais aliviada do cansaço, e deu novamente graças a Deus por tê-la livrado daquele atroz calabouço. É certo que, apesar da ajuda celeste, não ignorava a quantos perigos estava exposta naquele lugar tão apartado, distante de toda a ajuda humana; mas, ao menos, ali podia estar perto da natureza, gozar de sua paz, sua tranquilidade.

Não estaria vivendo sempre nas trevas, como na masmorra; poderia ver cada dia o azul do céu, quando fizesse bom tempo, e sentir sobre seus membros a inefável carícia do sol, que durante tantos meses esteve sem gozar; e ainda quando estivesse nublado, aquela esbranquiçada luz seria sempre muito mais confortadora que a terrível escuridão da prisão.

Além disso, aquele ambiente era incomparavelmente melhor para seu filho. Ela tentaria evitar todos os incômodos possíveis, mas ainda que tivesse que sofrer alguns, pelo menos seus pulmões poderiam encher-se de ar fresco e não estariam alterados pela mórbida atmosfera do calabouço. Seria possível caminhar por aqueles bosques, quando já pudesse andar, em lugar de se ver quase totalmente imobilizado, como ela, na lôbrega prisão.

Por outra parte, havia algo que lhe causava um imenso alívio, talvez o mais intenso de todos. Ali ela não teria que suportar a presença de Golo e suas aterradoras propostas! Nunca mais escutaria aqueles passos temidos, nem veria se abrir a porta do cárcere para dar passagem àquele monstro que tanto havia enganado a Sigfrid com sua hipocrisia. Tampouco teria mais de sentir temor por aquele rosto cuja expressão lhe dava calafrios ultimamente, nem escutar aquela voz que parecia gelar-lhe o coração.

De todos os modos, e ainda que considerasse todas as vantagens que tinha naquele lugar selvagem, não podia deixar de reconhecer também que as incertezas que diziam respeito à vida dela e de seu filho ainda existiam. E por isso, apesar de tudo, não lhe era possível deixar de experimentar certo temor. Tentava se sobrepor a ele, no entanto, dizendo que devia confiar totalmente na Providência.

De repente, enquanto estava entregue a tais meditações, seus olhos, que vagavam pela gruta, divisaram um galho seco que se havia desprendido dos que antes trouxera. Subitamente, teve uma ideia que a fez sorrir levemente. Levantando-se, foi recolher o galho, o qual livrou de um pouco de musgo que tinha aderido.

Então, o partiu em dois pedaços e buscou algo para amarrá-los com uma tira de cortiça flexível, que lhe serviu bem para o caso, e assim as uniu em forma de cruz, a qual susteve logo em suas mãos, murmurando docemente:

— Meu Jesus! Quero ter sempre diante de mim esta prova do seu amor a toda a humanidade. Esta cruz evocará sempre aquela em que o Senhor morreu para nos salvar, me recordará sempre as grandes mercês que me outorgou, me fazendo conhecer sua doutrina.

Beijou a cruz reverentemente, e depois acrescentou em tom mais solene, como se estivesse pronunciando uma espécie de voto:

— Quero começar, a partir deste momento, uma existência de eremita, e considerarei que a sorte adversa que me trouxe até aqui é a cruz que devo levar. Seguindo seu exemplo, a suportarei com paciência e repetirei sempre as mesmas palavras que o Senhor disse: "Pai, faça-se a sua vontade e não a minha". Meu sofrimento terminará algum dia, e então eu também poderei repetir: "Tudo está consumado".

Depois de haver pronunciado tais palavras com suma reverência, buscou na gruta o lugar mais adequado para colocar aquela tosca cruz, que dali em diante seria seu maior sustento. Encontrando um buraco que lhe pareceu um bom local, colocou a cruz em seu interior devotamente, para poder tê-la sempre em frente aos olhos.

A fé e o amor com que Genoveva contemplava aquele galho partido em dois e toscamente unido eram imensos, e com sua confiança estabelecia tal enlace com a força superior, que de novo experimentou aquela sensação inefável de consolo divino, que não pode compreender quem jamais a sentiu plenamente, e que é em verdade muito superior a quantos gozos e satisfações possam dar as glórias e prazeres mundanos.

Assim permanecia Genoveva frente à sua cruz. Aquela mulher que havia possuído muito, e que não parecia ter nada agora, possuía, em troca, o que nenhuma fortuna do mundo pode comprar e o que ninguém, por mais poderoso que seja, pode arrebatar ao que o possui.

Permaneceu assim um momento, como em êxtase, liberada naqueles momentos de todo o temor, suavizada pelo bálsamo celeste que se expandia por todo seu ser, e depois, sentindo-se totalmente inundada pelo consolo, decidiu dormir um pouco.

O menino repousava já sobre o musgo que tão habilmente ela havia preparado. Dormia tranquilamente e sua respiração regular aumentou ainda mais o especial bem-estar da mãe, que, procurando não despertá-lo, deitou-se ao seu lado. Não era um leito como aqueles em que dormira na casa de seus pais e no castelo de seu esposo, mas nenhum reparo lhe fez, antes ao contrário.

Logo caiu em um sono tranquilo e reparador como não o desfrutara desde antes de ser encerrada na prisão. Aos pés de ambos, como uma fiel companheira, descansava também a nobre cerva, que desde aquele dia não lhes abandonou mais.

9
O LIVRO DA NATUREZA

Desde então, Genoveva viveu naquela solidão como se fosse realmente uma eremita, como havia resolvido ser. Transcorreu o inverno, que, ainda que resultasse algo duro, puderam passá-lo melhor graças à Providência de Deus, que demonstrava patentemente estar a seu lado. Não foi sem angústia nem sofrimento que Genoveva viu passar aqueles meses frios, nem deixou de experimentar incômodos físicos. Mas estava resignada a tudo quanto viesse e sua enorme paciência fazia com que tudo fosse mais leve.

Chegou depois a primavera, e tudo se suavizou para aqueles dois seres abandonados às suas próprias forças. A nova estação reanimou a desamparada, dando-lhe novos brios para continuar aquela luta, tão desconhecida de todos, que devia sustentar no interior dos sombrios bosques. Mesmo naqueles lugares selvagens brotaram as flores, que são como pequenas amostras da exuberância do Criador, que nada deixa sem beleza. Nenhum alívio material lhes proporcionavam as gentis flores, mas sim um prazer visual e algumas delas mesmo do olfato.

E além disso, o que era mais importante, a comprovação da onipotência de Deus, de seu cuidado contínuo com as menores coisas de seu universo.

Ao recolher aquelas flores para adornar sua humilde morada, Genoveva meditava prazerosamente e dizia a si mesma, se confortando com seus próprios pensamentos:

— Certamente, não pode nos desamparar este Pai delicadíssimo, que mesmo nestes agrestes lugares derrama tais maravilhas. Ele sabe que ninguém habita estes lugares, mas em vez de abandoná-los à sua sorte, com terrenos quase imprestáveis, os engalana com estas demonstrações da beleza que emana d´Ele. E não se limita a espalhar sobre estes bosques e campos um conjunto de flores de um só tom e de uma só forma. Leva até o extremo sua prodigalidade, e aqui faz florescer sedosos botões vermelhos, e matiza outros com um amarelo dourado encantador, e também as colore com um rosa vivo, outra maravilha silvestre. Nesta borda crescem lírios brancos, encantadores, e mais além essas pequenas flores azuis que cheiram a mel. Oh! Deus, o Senhor é o mais poderoso, o mais sábio, e ninguém pode discutir seus projetos e desejos, posto que somos menos que formigas diante do Senhor. Tem todo o universo em suas mãos, e assim também nos tem a meu filho e a mim, sem que por nossa pequenez deixe de prestar atenção em nós. Louvado seja mil vezes, Criador maravilhoso!

Tais colóquios com Deus, profundos e inocentes ao mesmo tempo, contribuíam muito para que a existência de Genoveva fosse mais prazerosa, já que, ainda em meio àquela solidão que teria talvez enlouquecido outra pessoa, ela se sentia acompanhada. É que realmente não há melhor companhia que a de Deus. E apesar de que não se deva desprezar a companhia dos seres humanos — ainda que seja bom se precaver um pouco a respeito deles —, nenhuma existe mais completa, eficaz e constante que aquela que nos outorga o Pai Celestial quando a desejamos e sabemos agradecê-la.

Depois da primavera, chegou o verão. Também este foi maravilhoso, ainda que o sol esquentasse às vezes excessivamente. Mas a gruta lhes protegia de seus ardorosos raios, e, em troca, ao anoitecer, podiam permanecer no exterior, gozando da fresca brisa que lhes chegava, aliviando o abafamento dos dias calorosos.

Durante estes momentos tranquilos, quando os afazeres do dia estavam totalmente realizados, Genoveva, apesar de tudo, experimentava nostalgia. Era, enfim, humana, e não podia deixar de recordar de seus queridos pais, de seu esposo, de seus amigos... Era nestes momentos que a tristeza ameaçava alterar sua paz.

E, de fato, era realmente penoso para ela não poder ver seus pais, que tanto a haviam querido e que agora a chorariam como morta. Se soubessem que ela estava naquele bosque afastado! Mandariam imediatamente buscá-la, e até é possível que eles mesmos, em seu desejo por vê-la antes, se pusessem também a caminho.

Mas não podia romper a promessa que havia feito àqueles dois homens generosos, que morreriam certamente se Golo soubesse que fora traído. E assim, se conformava em não ver, não somente a seus entes queridos, mas também nem sequer outro ser humano. A cerva seguia sendo a única companhia que ela e seu filho tinham, o qual, por outra parte, crescia são e forte naquele ambiente puro.

O outono chegou de novo, completando então um ano desde que Genoveva e o pequeno haviam sido deixados naquele lugar. Ao recordar isso, a dor nublou seus olhos e oprimiu seu peito. Não tinha sempre a grande resignação que se havia proposto mostrar. Algumas vezes seu ânimo fraquejava, e ela temia o futuro.

Quando chegou outra vez o inverno, voltaram a padecer por causa do frio, apesar das precauções tomadas, pois a neve se estendeu novamente, como uma branca savana, linda, mas cruel ao mesmo tempo. Às vezes viam-se nela pegadas de animais do bosque, que não podiam deixar de assustar a pobre abandonada, ainda quando até o presente nenhum dano lhes tivessem ocasionado.

E havia momentos nos quais o desespero tomava a pobre jovem, que não podia então conter os soluços e exclamava dolorida:

— Como são felizes os seres que podem viver livremente entre os demais! A eles é dado falar entre si, poder comunicar suas tristezas e suas alegrias. Ainda que muitos não compreendam quão grande é esse dom da convivência humana, e em lugar de agradecê-lo, só se ocupem com amarguras e em fazer o mal aos outros.

Dando-se conta, no entanto, de que com seu pessimismo se apartava do plano de firmeza e paciência que se havia traçado, tentava se recobrar e dizia, mais calma:

— De todos os modos, poder falar a sós com Deus vale muito mais que a possibilidade de se relacionar com os humanos. Sim, meu Senhor, eu agradeço esse privilégio que sinto de tê-lo tão perto, porque sei que o Senhor, ao contrário de alguns humanos, nunca irá me trair, nem encontrarei falsidade em seu proceder. O Senhor nos ama mais que nossos próprios pais, pois é o Pai Supremo de todos. Nunca nos abandona e está sempre ao nosso lado, ainda que nos encontremos, como eu agora, em um afastado deserto.

Assim, Genoveva foi aprendendo pouco a pouco a colocar sua vida inteira e a de seu filhinho nas mãos do Regente Universal e a ir vencendo os temores que de vez em quando a assaltavam. Mas as horas se faziam intermináveis ali, por causa de ter tão escasso trabalho.

Poucas eram suas ocupações, pois não era possível buscar nenhuma outra. Uma das tarefas diárias era sair em busca de raízes e plantas que lhes servissem de alimento. Ao regressar, limpava o quanto era possível a reduzida gruta, afazer que lhe ocupava, naturalmente, muito pouco tempo. E era então, verdadeiramente, que as horas lhe começavam a pesar.

Em tais ocasiões começava a pensar:

— Se pudesse me entreter em algum trabalho, me sentiria mais contente. Se tivesse ao menos umas agulhas e fios, faria roupas para cobrir o corpinho de meu filho e o meu, pois nossas roupas já estão se tornando farrapos. Oh! O quanto gostaria de ter minha roca para poder fiar! Seria útil para nós e me serviria de distração.

Nada daquilo era possível, no entanto, e também se resignava, ainda que com aquela simples filosofia que vinha seguindo não a impedisse de dizer:

— Nós, seres humanos, nos queixamos sempre porque temos que trabalhar, mas se soubéssemos que aborrecida e insípida é a ociosidade, não nos lamentaríamos nunca pelo afazer. Por mais duro que seja um trabalho, sempre é preferível ao ócio, que torna a existência triste e vazia.

***

Em outras ocasiões, lamentava-se pela falta de livros, com os quais em outro tempo ocupara agradavelmente uma parte de seu tempo. E então suas queixas eram assim:

— Como gostaria de ter algum livro que me distraísse placidamente nestas horas intermináveis!

Mas alguém pareceu falar-lhe em seu interior, como outras vezes, instruindo-a, pelo que acrescentou:

— Mas, por que me queixo de não ter ao menos um livro? Por acaso, o melhor de todos não é este que tenho diante de mim? Observar todos os matizes da criação é a melhor leitura que alguém pode ter. Não há obra mais meritória que a que Deus escreveu com seu inarrável poder.

Alentada por suas próprias palavras, começou a observar tudo quanto tinha ao redor com muito mais atenção. Como fizera na primavera com as flores, começou agora a fazer com tudo que a rodeava. O menor inseto, a mariposa mais insignificante, eram estudados por ela com suma atenção. E é indescritível o prazer que experimentava ao descobrir em cada espécie a beleza de suas cores, a graça de seus voos, a minuciosa construção de seus organismos.

Todo aquele conjunto renovava sua fé, fazendo-a compreender cada vez mais qual era a potência daquele Ser inqualificável, dono e senhor da criação inteira.

***

O que também constituiu para Genoveva um grande consolo foi recordar as parábolas de Jesus Cristo e constatar que muitas delas foram retiradas de pequenos exemplos da natureza. Repassando-as mentalmente, encontrava também consolos singulares e ia adquirindo amplos conhecimentos espirituais.

Quando chegou novamente a primavera, Genoveva deixava a cortina silvestre levantada por instantes, e o sol penetrava na gruta, alegrando-a com sua luz e esquentando-a com sua calidez. Genoveva, em um êxtase agradecido, costumava exclamar:

— Oh, meu Deus! Também o sol representa, para mim, um exemplo vivente de seu poder e da bondade que professa aos humanos. Jesus Cristo nos disse: "Meu Pai Celestial faz brilhar o sol sobre os bons e sobre os maus". E eu desejo que meu amor pelo próximo fosse como esse sol e que me fosse dado fazer o bem, mesmo a meus próprios inimigos.

Tais pensamentos, não obstante, não bastavam para afastar dela por completo todo o temor, pois por sua própria natureza humana, experimentava medo, desconfiança, tristeza... Temia, mais que tudo, que algum dia chegasse a faltar a ela e a seu filho o sustento que tão duramente conseguia às vezes e que sempre consistia nas coisas mais primitivas.

Ao pensar nisto, a melancolia ameaçava invadir seu coração, mas lutava contra a mesma, tentando reanimar sua fé por todos os meios.

***

Em uma ocasião, tendo despertado ao amanhecer, escutou, partindo do bosque, os alegres trinados dos passarinhos escondidos nas frondosas árvores, e sentindo que aquele canto dava otimismo a seu ânimo, ultimamente decaído, exclamou:

— Estes pequenos seres cantam com alegria porque se sentem livres. Eu deveria experimentar um contentamento semelhante, pois Jesus mesmo disse: "Olhe as aves do céu, elas não semeiam, nem segam, nem armazenam em seus celeiros, e, no entanto, o Pai Celestial as alimenta. Acreditam então que Ele não os ama mais que a elas?".

E ditas estas palavras que a confortavam profundamente, Genoveva dirigiu-se a Deus para acrescentar:

— Estou certa, meu Deus, de que o Senhor nos ama ainda mais que a estes pássaros, e acreditando nisso, eu deveria estar mais alegre que eles e deveria expressar tal felicidade com cantigas, ao invés de colocar-me triste por não poder semear grãos, nem plantar um talo, nem armazenar um só feixe.

Fixando-se de novo nas lindas flores, que pintavam o vale com suas pitorescas cores, continuava dizendo:

— Bonitas flores. Sua beleza, suas formas variadas, a minuciosidade com que foram feitas, me fazem recordar uma vez mais a grandeza daquele que não só constrói as coisas grandes, mas que também se entretém gentilmente em confeccioná-las com toda a delicadeza. E penso que se Deus está nas flores, que são tão diminutas, como não há de estar em mim, para me sustentar sempre?

E recordando de novo as frases do Evangelho, que eram sua meditação cotidiana, acrescentou:

— Jesus as citava quando disse: "Veja os lírios e outras flores dos campos. Não trabalham nem fiam. E, no entanto, eu lhes digo que nem Salomão, em meio de sua magnificência, se vestiu como uma delas. Se Deus veste deste modo os verdes campos, não fará igual com vocês, homens de pouca fé?"

Genoveva juntou então as mãos, reverente, e como uma nova promessa, formulou as seguintes palavras:

— Sim, meu Senhor! Procurarei ter sempre em mente estes conceitos e tentarei ter mais confiança no futuro. E ainda que não me seja possível fiar nem coser roupas para meu filho e para mim, não me inquietarei em pensar de que modo irei cobrir nosso corpo mais adiante.

***

Agora, pelo contrário, já havia se familiarizado com elas, que a ajudavam inspirando-lhe novos motivos de meditação, que tanto ampliavam seu espírito e consolavam sua existência.

Jesus Cristo, efetivamente, havia dito em certa ocasião: "Aquele que escuta minhas palavras e as coloca em prática, Eu o comparo ao homem prudente que edificou sua casa sobre a rocha".

E Genoveva, evocando esta passagem bíblica, dizia a si mesma:

— Nas frases que pronunciou, meu Jesus, apoiarei minha fé, e nada poderá derrubá-la, pois será tão firme como a casa construída sobre a rocha.

Sua imaginação já era por si só desperta, e ultimamente havia se aguçado tanto que não só tirava lições das coisas belas, mas também as extraía dos desprezíveis cardos e do mais inútil mato.

Contemplava tudo minuciosamente e a reflexão a levava a conclusões como a seguinte:

— Pobres plantas, tão estéreis e desprovidas de beleza... se pudessem dar lindas flores, ou saborosos frutos, eu me conformaria com sua pouca beleza e gozaria de seus frutos, e isso contribuiria para aliviar minha solidão neste deserto. Mas também me dá uma lição, já que Jesus disse: "Não é possível pegar uvas dos abrolhos, nem figos dos cardos. A árvore boa dará bom fruto e a árvore má dará o mau fruto".

E tais sentenças a fizeram conceber o seguinte propósito:

— Eu quero me parecer com a árvore boa e praticar todo o bem possível, porque lamentaria muito me parecer com estas pobres plantas que só produzem dolorosos espinhos.

***

Desta forma ia se educando com tudo quanto via. O grande e o pequeno, o bom e o mau, tudo era para a desterrada motivo de reflexão, e, por fim, de conhecimento. Tudo quanto havia ao seu redor lhe trazia uma espécie de mensagem celeste. O sol, as flores, os insetos, os pássaros, o riacho, os penhascos, os cardos e as ervas daninhas... Tudo a fazia pensar nos ensinamentos de Jesus, e era agora que verdadeiramente lia o mais maravilhoso dos livros, como ela dissera: o da criação.

Chegou novamente o verão, e pouco a pouco, o calor foi ficando insuportável. A gruta onde eles viviam era bem fresca, mas apesar disso, naquelas horas tórridas, nem sequer aquele lugar se livrava do pesado mormaço, que penetrava através das pedras.

Então, não podendo suportar mais, Genoveva saía da mesma e se dirigia para o manancial próximo, para acalmar sua abrasadora sede com a água clara e fresca que ali havia, e que era sempre fluente. Genoveva, percebendo isso, apesar dos incômodos e privações que tinha que suportar, dava graças a Deus por aquele alívio, dizendo:

— Oh, Senhor! O mesmo efeito que produz em meus lábios ardorosos esta água fresca, produz em meu espírito a grande fé que depositei no Senhor, meu Deus, pois ela me vivifica e refresca interiormente, me livrando do tormento abrasador da dúvida e do temor. Também isto me recorda a Jesus Cristo quando disse: "Venham a mim os que estão sedentos; a água que eu lhes darei será para vocês como um manancial que correrá até a eternidade".

Bebia então do fresco líquido, puro e transparente, e logo meditava:

— Realmente, é este manancial interior da fé o que me vivifica, fortificando-me e consolando-me. Somente ele pode me proporcionar a estranha satisfação que sinto, precisamente agora, neste lugar, quando me vejo privada de todo e qualquer consolo humano e onde não possuo nenhum dos gostos que se desfrutam com o trato e a companhia dos seres que são de nosso agrado.

Outras vezes, sentava-se sobre a erva do campo e se absorvia na contemplação de tudo quanto a rodeava. Aqueles enormes penhascos que se erguiam perto dali, dominando o conjunto, lhe haviam parecido muito impressionantes a princípio. As escuras e imponentes pedras lhe recordavam de um modo sinistro as de seu próprio calabouço, e não podia contemplá-las sem experimentar angústia.

***

Mas, de todas as maneiras, havia algo que lhe causava prazer e a deixava maravilhada que tudo o mais. Era o crescimento de seu filho, ao qual dedicava a maior parte de suas horas. Nem o brilhante sol de verão, nem as belas flores da primavera, nem as suaves cores da paisagem no outono, nem a contemplação do extenso manto de neve no inverno, causavam nela tal impressão como a de ver a maneira que, dia a dia, aquele pequeno ser ia se desenvolvendo, apesar dos escassos meios com que contava.

Quando os dias eram mornos e serenos levava o menino para passear pelos arredores da gruta, e ali, sob o azul do firmamento, enquanto a cerva, que lhes acompanhava, pastava tranquilamente a fresca erva dos prados, ela passeava com o pequeno, falando-lhe ternamente, com frases ditadas por seu amor maternal, que a criança, naturalmente, não podia compreender ainda.

Se, instintivamente, o pequeno lhe rodeava o pescoço com seus ternos braços e lhe sorria, Genoveva notava como aquela carícia e aquele sorriso bastavam para alegrar imediatamente aquela solidão e para dissipar qualquer sombra de tristeza ou temor que naqueles momentos embargasse seu ânimo.

Então, tinha a impressão de que tudo que havia ao seu redor brilhava como se fosse ouro. As flores lhe pareciam gemas de maravilhosas cores, e as gotas de orvalho que tinham ficado em alguma planta, lhe pareciam valiosos diamantes. O amor maternal lhe produzia verdadeiros êxtases, muito consoladores naquela penosa situação, mas como sempre, quando algo comovia seu coração, a gratidão para Deus se elevava desde seu interior como uma espiral refulgente, e em tais ocasiões, Genoveva, em lugar de guardar egoisticamente para si a prazerosa sensação, se ajoelhava, e apertando amorosamente seu filhinho contra si, murmurava:

— Como poderia demonstrar-lhe, Senhor, meu agradecimento por haver salvado a vida de meu filho, que é agora meu consolo e minha glória? Pode existir no mundo uma felicidade, um consolo ou uma distração mais pura e variada que a que me proporciona este pequeno em minha solidão? Dirija seu olhar, meu Deus, sobre este meu filho muito amado, e faça com que vá crescendo e se desenvolvendo com saúde, como até agora. Observe a serenidade que traz em seu semblante e a doçura que se nota em seus olhos. Olhe que rosadas são suas inocentes bochechas e que limpa sua fronte, adornada pelos cacheados cabelos. Com que tranquila confiança descansa sobre meu peito!

Recordando de novo o Evangelho, quando Jesus se refere às crianças, continuava dizendo:

— O quão certo é o que disse Jesus ao afirmar: "Se não fizerem como as crianças, não entrarão no reino dos céus". Pudera todos os seres humanos tornarem-se puros como este menino, superando o mal, o orgulho, a inveja, todos esses defeitos que lhes impedem de unir-se com Deus! Se isto pudesse ser assim, poderíamos gozar já um pouco nesta vida da bem-aventurança dos céus e nos sentiríamos tão ditosos como ele é agora em meus braços. Não temeríamos tampouco a morte, pois a aguardaríamos com a paz e complacência que proporciona a alma a satisfação do dever cumprido.

Não obstante, e apesar dos consolos espirituais que com tanta frequência experimentava, Genoveva sentia às vezes o desejo de visitar uma igreja, e ao se ver totalmente impossibilitada de fazer isso, se lamentava com o coração cheio de tristeza:

— O quanto gostaria de poder unir meu coração ao de uma multidão de fiéis ajoelhados ante a majestade de Deus e escutar fervorosamente a palavra de seus ministros, entoando hinos de louvor ao Criador! Que gozo experimentaria se pudesse escutar o tangido de uma campana, e de que modo tal som reanimaria meu amargurado coração!

Notava então como o desconsolo ia invadindo pouco a pouco seu ânimo, e antes que se apoderasse dela por completo, fazendo-a desfalecer, reagiu com firmeza e ela mesma se consolava, dizendo-se:

— Mas, por que me lamento não poder me encontrar em uma igreja? Não é toda a criação o imenso templo de Deus? Ele está em todas as partes. Na terra que me sustenta e no céu que me cobre. Nas cidades e nestes bosques. E, portanto, ali onde está Ele se encontra também Sua igreja. E todos os corações que batem e suspiram por Deus são altares viventes neste templo imenso. Sim, inclusive meu coração, mesmo neste lugar tão desolado. E posto que é assim, me resigno e seja este vale em que habito um templo para mim e meu interior um humilde, mas fervoroso altar.

***

Desde que fizera tais reflexões, Genoveva não podia ver uma árvore, uma rocha, qualquer coisa, por insignificante que fosse, que não lhe inspirasse admiração por Deus. A menor coisa lhe dava ocasião de elevar sua alma para o Criador em devotas orações, e tal devoção matizava agradavelmente sua vida, que de outro modo lhe teria resultado quase insuportável.

E durante as cruas jornadas de inverno, quando abandonava a gruta somente para buscar sustento, que tratava de recolher no bom tempo, se ajoelhava em frente à tosca cruz que havia construído com um galho partido e ali permanecia, por longas horas, rezando e meditando.

Encontrava também um grande consolo elevando seu coração para Jesus, que parecia responder a suas constantes preces, prodigalizando-lhe inefáveis consolos. E ao recordar sua heroica vida, seus grandes sofrimentos, seu indescritível amor à humanidade pela qual havia morrido, tornava mais leve sua própria pena, e apesar dos padecimentos que inegavelmente sofria, experimentava um gozo interior elevado.

10
DESDITOSO APRENDE COISAS NOVAS

Da mesma maneira que às vezes se vê crescer no vale uma linda flor rodeada de mato e abrolhos, assim crescia o filho de Genoveva, e sua delicada beleza contrastava grandemente com o selvagem aspecto daquele lugar em que viviam.

Havia se desenvolvido bastante e agora já corria alegremente, brincalhão, pela gruta e pelo bosque circundante. Mas uma coisa preocupava Genoveva. É que não tinha roupa para vesti-lo de um modo mais adequado, pois a escassa vestimenta que havia podido dar-lhe, tirando de si mesma, já não bastava para cobrir aquele corpo, cada vez maior.

Mas a Providência veio em sua ajuda neste sentido, como sempre, e foi do seguinte modo:

Um dia, em uma das incursões para prover seu sustento, a jovem viu como uma raposa havia capturado um jovem cabritinho branco e o tinha entre suas garras. Causando-lhe horror a cena, tentou afastar a raposa, conseguindo seu intento, por fim. Mas não lhe foi possível salvar o cabritinho, pois naquela luta desigual já havia morrido.

Genoveva ficou triste pela sorte do pobre animal, e inclinava-se para ele, quando de repente pensou que aquele acontecimento, ainda que doloroso, parecia providencial. Causava-lhe pena despojar de sua pele o cabritinho, mas recordando a quase nudez de seu filhinho, se armou novamente de valor e extraiu a branca pele do animalzinho.

Dirigindo-se então para o manancial que havia junto à gruta, lavou bem a pele e a colocou para secar ao sol. Depois de tê-la preparado assim, confeccionou como pôde uma espécie de roupa para seu filhinho. Mas não podia cobri-lo por inteiro, e assim ele se parecia, de certo modo, como um pequeno João Batista.

Oferecia daquele modo um lindo aspecto, já que apesar de se alimentar somente de ervas, raízes, algumas frutas silvestres e leite, gozava de excelente saúde, para grande satisfação da pobre mãe, que ao menos tinha aquele consolo.

Paulatinamente, sua inteligência ia se desenvolvendo. Começava a distinguir por suas cores e formas as coisas que lhe rodeavam e a compreender e repetir as palavras que sua mãe lhe ia dirigindo.

A satisfação de Genoveva foi grande ao escutar os primeiros balbucios de seu pequeno. Fazia tanto tempo que não escutava nenhuma voz humana! E seu contentamento chegou a um limite extremo quando, em um momento determinado, inesperadamente, os lábios da criança se abriram para murmurar docemente:

— Mamã...

Esta bela cena aconteceu no começo do inverno, e desde então, a mãe passava cada vez mais tempo com seu filho. Nas horas mais duras, estavam no interior da gruta, sempre em companhia da fiel cerva, que tornava para a pobre mulher mais leve sua solidão, e quando o fraco sol permitia os passeios ao exterior, saía com ele, a quem ia ensinando os nomes de todas coisas que se deparavam à sua frente.

Genoveva lhe falava do sol e das pedras, das ervas e das árvores, do musgo que cobria as corpulentas árvores e dos insetos que encontravam em seu caminho. Tudo servia à mãe para iniciar *Desditoso* em tudo quanto lhe era conveniente saber.

Desta maneira, logo percebeu que a criança demonstrava uma singular inteligência, um cérebro vivaz e desperto. Por outra parte, começou a comprovar o imenso amor que a criança lhe professava, o que enchia seu coração de imensa alegria.

Cada dia lhe trazia novas surpresas a respeito dele, sempre felizes, e tinha a impressão de que em sua desolada existência se abria uma nova fase, mais ditosa e esperançosa.

***

Nos últimos dias de inverno, no entanto, o pequeno caiu enfermo. Não era coisa grave, mas uma doença própria da fria estação, mas Genoveva temeu às vezes pela vida daquele que agora era seu único amor humano. Sem orientação, guia, nem outro remédio além de algumas ervas que ela conhecia e que se encontravam naquele lugar, como em muitos outros lugares, se encontrava perdida em certos momentos.

Mas as orações supriam os remédios, e como diz o ditado popular, "é salvo tudo o que Deus quer", o pequeno não morreu, e foi se recuperando pouco a pouco, para grande alegria de sua mãe. Ela permaneceu muitas horas daquele inverno no interior da gruta, cuidando da criança, pois só se afastava dali para buscar o necessário. Mas ao chegar a primavera, tudo mudou.

A cor rosada de antes voltou às bochechas do pequeno, e, pouco a pouco, ele foi recobrando por completo a saúde. Quando Genoveva viu que estava totalmente recuperado, percebeu que devia começar a levá-lo para passear.

Era uma linda manhã que havia escolhido para o passeio, pois o sol brilhava alegremente sobre tudo. Genoveva levou seu filho a passear pelo vale, para que pudesse respirar o ar puro depois daquele longo e imposto encerramento. Por todas as partes viam-se novamente flores de cores maravilhosas, e o menino, que via aquela maravilha pela primeira vez desde que sua inteligência estava já realmente desperta, ficou gratamente impressionado.

Cheio de admiração, deteve-se subitamente, e contemplando tudo quanto lhe rodeava com seus olhos azuis muito abertos, exclamou, assombrado:

— Mamãe! O que é tudo isto que eu estou vendo? Tudo mudou muito desde a outra vez... agora tudo me parece muito mais bonito. O vale era todo branco quando eu o vi...

— É porque havia neve, meu filho — replicou a mãe, contente em poder dar-lhe aquelas instrutivas explicações. — A neve só cai no inverno, quando faz muito frio, e agora estamos na primavera.

— Ah! Primavera... que bonito nome! É por isso que o vale está com essas cores verdes tão bonitas?

— Claro. Sempre acontece isso nesta estação, ano após ano.

— Que bom! — ia observando tudo, encontrando a cada momento coisas novas com o que se entusiasmar. E assim, acrescentou jubiloso: — Olhe, mamãe! As árvores, que pareciam tão tristes e só tinham galhos secos, agora também são verdes e têm muitas folhinhas...

— É que agora reviveram. Saíram do letargo do inverno e se embelezam assim. Tudo se alegra na primavera.

— É verdade. Até o sol parece estar mais alegre. Brilha mais, não é verdade? E esquenta muito... quando toca a pele, o frio vai embora...

— O sol é uma das maravilhas que Deus nos oferece, pequeno.

— E o céu também, não? Porque antes era branco e agora é azul.

— Os dias são lindos nesta época. O céu apenas se nubla. É a estação mais risonha do ano.

Mas já o pequeno havia fixado seus inquietos e brilhantes olhos em outra coisa, e inquiria então vivamente:

— Mamãe, o que são essas coisinhas pequenas, coloridas, que estão por entre a erva?

— São flores. Flores silvestres que Deus colocou nestes lugares para que em nenhuma parte falte um pouco de beleza.

— Flores... como são bonitas! Quer pegar algumas para mim?

— Claro que sim, meu filho. Eu já as colhia para alegrar nossa gruta, quando era muito pequenino, mas então não podia apreciá-las ainda. Agora tudo vai mudar pouco a pouco para você.

— Vamos colhê-las agora mesmo!

— Sim, por que não? Minha maior alegria é fazer sua alegria, filhinho, e, além disso, ensinar-lhe. Terá que aprender tudo comigo.

E assim dizendo, Genoveva inclinou-se para as lindas margaridas, que ofereciam um gentil aspecto, e enquanto as colhia ia explicando:

— Está vendo? Estas se chamam margaridas... Olhe que cor branca tão bonita elas têm e com que graça estão dispostas suas pétalas. As pétalas são estas folhinhas. São chamadas assim. Vê no centro que amarelo tão lindo?

— Oh, sim! Gostei muito.

Mas já seus olhinhos iam buscando com deleite e agora se detinham em uma pequena florzinha arroxeada, de talo curto.

— Mamãe, e aquela, como se chama? É muito pequenininha...

— Sim, mas cheira muito bem. Chama-se violeta. É uma flor modesta, mas toma, aspire seu odor... não é mesmo muito agradável?

Ela a havia aspirado primeiro, e agora a criança o fez também, imitando-a.

Então, Genoveva disse:

— Bom, já viu como são colhidas. Agora você pode recolher todas que quiser, as que mais gostar.

Ela não precisou repetir. O menino gostara tanto daquelas coisinhas coloridas, em especial as que tinham cheiro, que começou a colhê-las, não cessando até não poder segurar mais nenhuma.

Então, Genoveva o levou até um bosque que havia ao fundo do vale, e ao chegar ali se deteve para perguntar-lhe:

— Está escutando uns cantos deliciosos?

A criança se colocou a escutar com atenção, e pela primeira vez chegou a seus ouvidos o gorjeio de muitos passarinhos que, como de costume, cantavam harmoniosamente. Estavam contentes e sentiam-se felizes porque nenhum temor vinha truncar suas singelas vidas, pois não acudindo ninguém àqueles lugares, tampouco estavam expostos a ver perdidas suas vidas por mãos cruéis.

— Sim, estou ouvindo, mamãe... mas, o que é isso tão bonito? Escuta-se em todas partes. No monte, nas árvores, junto à fonte... vamos ver de onde saem.

Genoveva sentou-se sobre uma pedra, e depois de colocar a criança em seu regaço, jogou ao seu redor algumas sementes para atrair os passarinhos. Costumava fazer assim, diante de sua gruta, no inverno e no princípio da primavera, pois experimentava muita simpatia por aquelas ternas avezinhas. Mas agora ia ser a primeira vez que a criança as veria.

De fato, bom número deles acudiu no mesmo instante, formando uma variada e agradável coleção. E a criança, atônita, começou a passear seus admirados olhos do encarnado pintarroxo até o modesto pardal, e desde o pintassilgo a outros vários, todos graciosos e esbeltos. Sua mãe, observando sorridente sua reação, lhe dizia:

— Está vendo? Estes pequenos seres se chamam passarinhos. E são eles que cantam deste modo tão agradável, que tanto gostou.

— Mas, como podem fazê-lo, mamãe? Devem ter uma garganta muito pequena.

— Sim. Mas Deus lhes deu este dom, e têm uma grande potência em seus pequenos peitos.

Cheio de uma alegria que não podia conter ante o que lhe pareciam inacreditáveis maravilhas, o menino exclamou:

— Oh, mamãe! Como gostei dos pássaros! E cantam muito bem! Muito melhor que aqueles animais que me disse serem corvos.

Genoveva riu da inocência do pequeno.

— Aqueles não cantam meu filho, grasnam. E entendo que não tenha gostado deles, pois os pobres são feios, na verdade. Os passarinhos, em contrapartida, são todos lindos.

— Vejo que são mesmo, e estou muito surpreso. De onde saiu tudo isto? Foi você quem fez para mim? Mas, como? Se quase todo o inverno esteve comigo dentro da gruta.

— Não, pequeno. Eu não tenho o poder para fazer tais coisas. Queria tê-lo, e então poderia lhe dar tudo o que deseja, mas não me é possível, nem a mim, nem a nenhum ser humano.

— Então, quem o fez? Não pode ter aparecido sozinho. Tudo tem que sair de alguma parte, não?

— Claro que sim, e vou lhe explicar.

Estavam sentados em uma pedra, e se encontravam bem-dispostos, uma para explicar e o outro para escutar. Genoveva seguiu dizendo:

— Eu já lhe expliquei, durante o inverno, que temos no céu um Pai que vela por todos nós.

— Sim, já tinha me dito. Mas, onde ele está?

— Agora não podemos vê-lo. Mas este Pai, a quem chamamos Deus, é quem criou tudo. O sol, a lua, as estrelas...

— Esses pontinhos que piscam à noite no céu?

— Sim, mas não são pontinhos, e sim astros muito grandes, que vemos pequenos porque estão distantes.

— Oh! E esse Deus fez isto também?

— E tudo quanto nos rodeia. As árvores, as pedras, as raízes com as que nos alimentamos, a cerva que nos faz companhia...

— E também os passarinhos? E os corvos?

— Sim, também os passarinhos. E os corvos. Cada coisa tem sua utilidade e Ele criou tudo para que possamos utilizá-las e sentir prazer com isso.

Maravilhado por tais explicações, que iam penetrando pouco a pouco em seu infantil cérebro, a criança exclamou então:

— Ih, que bom é Deus! E deve ser muito esperto para poder fazer tudo isto.

Genoveva sorriu novamente ao escutar aquela ingênua observação. Abraçou fortemente a criança, satisfeita dos bons sentimentos que demonstrava e da notável inteligência que suas perguntas e respostas deixavam adivinhar.

"Certamente", pensou, no entanto, "qualquer criança riria do seu modo de falar, infantil e espontâneo, qualificando-o de tonto. Mas também os demais, apesar de terem mais possibilidades, tiveram que aprender as coisas lentamente, e só com tempo e esforço podem ir se dando conta das maravilhas que encerra a criação."

Aquele anoitecer foi muito bonito para *Desditoso*, a quem realmente não cabia tal nome nestes momentos, já que se sentia completamente alegre. Antes de dormir, foi recordando todas as coisas novas que havia contemplado, e quando dormiu, por fim, um suave sorriso entreabria seus lábios.

Seus sonhos seguiram o mesmo caminho daquelas horas extraordinárias que vivera, já que neles continuou vendo as novidades que tanto lhe deram prazer. E se alguém o tivesse contemplado, teria se dado conta de que uma doçura e felicidade imensas transpareciam em seu semblante.

11
LIÇÕES SOBRE DEUS E A VIDA

Quando na manhã seguinte começou a sair o sol, já estava desperto. Sua mesma ilusão lhe havia feito despertar antes do acostumado, e contrariamente ao habitual, pois era sempre Genoveva que despertava primeiro, deixando-o dormir, foi o pequeno quem tocou no braço de sua mãe, impaciente por continuar a grata inspeção do dia anterior.

— Mamãe! Mamãe!

Ao escutar aquele apreciado nome, Genoveva não demorou em despertar. Abriu os olhos, e fixando-os na criança, que estava sentado sobre seu tosco leito de musgo, lhe sorriu, dizendo:

— O que quer, filho? Como acordou tão cedo?

— Quero me levantar e sair logo, para continuar vendo coisas lindas. Levante-se depressa, mamãe, e vamos ver tudo!

— Bom, pequeno, já o faremos. Haverá tempo para tudo.

Levantou-se, no entanto, e ele fez o mesmo, saltando e lançando exclamações de gozo. Alegrava a Genoveva vê-lo tão contente, e logo estava pronta para sair e dar-lhe aquele gosto. Tomando-o pela mão, o conduziu aquela manhã até a margem de um pequeno arroio que cruzava o vale. Quando chegaram, Genoveva indicou:

— Olhe lá, para aquela penha que fecha o vale... Está vendo aqueles arbustos cheios de espinhos?

— Sim, mamãe, o que são?

— São ameixeiras silvestres. Agora têm somente umas bolas brancas e verdes, que são os brotos de suas flores.

O pequeno ia contemplando tudo, tanto ou mais interessado que no dia anterior. E sua mãe continuou dizendo:

— E está vendo lá, na outra parte, aqueles arbustos que também têm espinhos? São roseiras. Elas são espécie de rosas silvestres, de cor vermelha, seu fruto é de forma ovalada e também vermelho.

— Tudo é muito bonito.

— Sim, realmente é, se soubermos apreciar. Olhe agora para o alto do vale. Está vendo aquelas duas árvores?

— Sim.

— Pois a da esquerda é uma pereira, e a da direita é uma macieira. Agora, seus galhos estão cheios de brotos, mas se os observar sempre, poderá me dizer que surpresas irão lhe proporcionar.

Referia-se, naturalmente, ao crescimento dos frutos, que, na realidade, resultava surpreendente e maravilhoso, se prestarmos atenção. O menino desejou saber já naquele momento o que aconteceria, mas nada perguntou.

Regressaram à sua tosca morada e sua jornada foi transcorrendo parecida à dos outros dias, especialmente no que se refere a Genoveva, pois a criança, ainda que não se afastasse daqueles lugares por ordem de sua mãe, não cessava de contemplar tudo quanto rodeava a gruta, seguindo sua nova fase de descobrimentos.

Durante a noite, enquanto dormiam, caiu uma chuva fina que foi empapando a terra. Ao amanhecer não havia cessado ainda a chuva, mas pouco depois o céu foi se aclarando e o astro do dia começou a se elevar majestosamente pelo horizonte.

Depois de tomar o café da manhã, frugal, mas nutritivo, Genoveva e seu filho voltaram a descer ao vale. E qual não foi a admiração do pequeno quando viu que durante a noite haviam florescido as bolotas de ameixeira!

— Olhe, mamãe... aquelas bolinhas das quais me falou ontem, viraram florzinhas brancas.

— Sim. Pelo visto, a chuva da noite as ajudou a abrir.

— São brancas como a neve do inverno, não são?

— Sim, filho.

E o pequeno ia contemplando tudo, maravilhado, como no dia anterior, mas, de repente, pareceu experimentar certa decepção.

— Oh, mamãe! Olhe para o que você me disse serem roseiras silvestres. Achei que já teriam essas flores vermelhas das quais me falou, mas não têm ainda. Será que Deus não pôde terminá-las esta noite?

Genoveva, sorrindo ante sua ingenuidade, lhe respondeu suavemente:

— Não é que não tenha podido, meu filho. Ele pode tudo, porque é onipotente. Para Ele teria sido muito fácil terminar tudo, como você diz. Mas não o fez porque cada coisa tem de ser levada a cabo a seu tempo e não antes. Tudo deve ter uma ordem, compreende?

O menino piscou, pensativo, e replicou logo:

— Não entendi muito bem. Há muitas coisas que não entendo bem.

— Claro. É muito pequeno ainda, mas logo irá compreender tudo. Pergunte-me tudo aquilo que tiver dúvida. Eu o instruirei naquilo que me for possível.

— Vou fazer isso porque gosto muito de saber. E agora diga, como Deus pode trabalhar abrindo estes botões e fazendo que saiam as flores, durante a noite, quando está tudo tão escuro?

— Para nosso Pai Celestial não existe a escuridão. Ele vê todas as coisas tão claramente de noite quanto de dia.

— Oh, isso é magnífico!

O menino ia de assombro em assombro, de gozo em gozo. Às vezes não conseguia entender o que sua boa mãe lhe explicava, e sua cabecinha pendia às vezes e franzia seu cenho, apesar de Genoveva explicar tudo da maneira mais simples possível.

E assim iam passando os dias para os dois seres, que viviam aquela singular existência, afastados de todo contato humano, mas muito perto de Deus e de suas manifestações.

Uma manhã, quando se dispunham a sair da gruta para dar seu costumeiro e instrutivo passeio, Genoveva disse a seu filho, festejando:

— Hoje reservei uma surpresa que o alegrará muito. Vamos.

Pegou uma cestinha que ela mesma havia tecido com varinhas de vime — esse arbusto que cresce nas margens dos rios e cujo tronco se enche desde o chão com galhos longos e flexíveis — e saíram. Aquele dia conduziu o pequeno até uma pradaria na qual ela havia visto, alguns dias antes, quando saíra em busca de alimento, alguns morangos a ponto de madurar.

Como já havia calculado, aquela manhã estavam em seu ponto de colheita, e Genoveva, levando a criança até perto dos mesmos, mostrou-os. O menino fixou seus ávidos olhos naquelas bolinhas vermelhas que pareciam se esconder sob as folhas verdes e perguntou inocentemente:

— Também são flores?

— Não — respondeu sua mãe. — São frutos. Um tipo que cresce assim, rente à terra, e que é muito saboroso. Chamam-se morangos.

Inclinando-se, colheu alguns, que colocou na palma mão, separou os melhores e disse ao menino:

— Toma, coma estes. Verá como são bons!

Ansioso, o pequeno pegou os morangos, e não demorou a dar cabo deles.

— Oh, como são gostosos! — exclamava com a boca cheia. — Gostei muito! Posso pegar mais?

— Claro que sim, mas tem que pegar somente os que estão vermelhos. E certifique-se de que estejam vermelhos dos dois lados — inclinando-se novamente, lhe demonstrou do que estava falando. — Está vendo este, por exemplo? Está vermelho deste lado, mas se o pegar e o comer, terá um sabor pouco agradável, pois do outro lado está verde ainda.

— Sim, mamãe, terei cuidado.

E se agachando sobre os morangos, começou a pegar as doces frutinhas, escolhendo cuidadosamente as que estavam inteiramente vermelhas, e mal as pegava, ia comendo-as com crescente satisfação.

Enquanto isso, Genoveva buscava também do outro lado, colocando-as na cestinha que trazia para isso. E pouco depois, escutava dos lábios de seu filhinho a seguinte e agradecida exclamação:

— Mamãe, como Deus é bom por nos dar estes frutos tão bons!

Genoveva ficou satisfeita ao comprovar como o pequeno não era egoísta nem ingrato, já que imediatamente ao receber um favor, expressava sua gratidão pelo mesmo, e então, desejando elevá-lo o mais possível para o Criador, lhe disse docemente:

— Gosto muito que se expresse assim, mas poderia fazer uma coisa ainda melhor!

— Qual, mamãe?

— Dar graças a Deus diretamente, já que, como bem diz, é Ele quem nos proporciona essas guloseimas.

Ela não precisou repetir. Levantando seus olhos azuis cheios de candura para o alto, colocou um beijo nas pontas de seus dedos e mandou ao céu, em um gracioso gesto, seu beijo agradecido, dizendo logo:

— Eu te dou muitas graças, Senhor, por nos ter feito encontrar estes morangos tão bons!

De repente, no entanto, seu belo rosto expressou certa preocupação. Ao notar isso, Genoveva, que estava contemplando enlevada, aproximou-se.

— O que foi, meu filho? No que está pensando?

Ele voltou para a mãe seus olhos pensativos para responder:

— Pensava que... talvez Deus não tenha me escutado. Está tão distante...

Abrindo os braços, Genoveva atraiu a criança para seu peito, e, estreitando-o contra si amorosamente, o tranquilizou dizendo:

— Claro que Ele o escutou. Deus ouve sempre, porque ainda que esteja distante realmente, também está muito perto, junto de nós. Até se não tivesse pronunciado as palavras e só pelo fato de pensar nisso, já teria sabido de suas intenções, pois também pode penetrar em nosso interior.

— Isto não consigo compreender — confessou o pequeno.

— É natural, porque mesmo para os adultos é difícil compreender. Mas você deve se recordar sempre que Deus é onipotente. Ou seja, que Ele tudo pode, e ainda que não entenda tudo, deve confiar sempre n´Ele.

***

À medida que os dias transcorriam e iam ficando mais longos, *Desditoso* sentia crescente interesse por tudo quanto o circundava. E um dia, sua mãe lhe disse:

— Meu filho, é conveniente que comece a andar sozinho pelo vale. Quero que vá compreendendo por você mesmo as maravilhas da Criação. Veja, observe bem, e volte para me dizer o que tiver visto.

Assim fez o pequeno, contente de já ser suficientemente grande para poder andar sozinho. Mas estava tão acostumado a compartilhar seus entusiasmos com a mãe, que pouco depois de ter saído naquela manhã, já estava de volta, correndo.

— Oh, mamãe! Venha ver o que encontrei. Venha ver!

Ela estava limpando a gruta, mas ante o pedido de seu filho, deixou o afazer, sorridente, e o acompanhou.

— Bom. Vamos ver o que é que o impressionou tanto.

Desditoso a conduziu até um sarçal e a fez olhar no meio deles.

— Olhe, mamãe... há um cesto, e dentro um passarinho. O que é isto? Quem colocou aqui este cesto?

— Isto é um ninho de passarinhos, e são eles mesmos quem o colocam aqui. Quer dizer, não o colocam, mas o constroem pouco a pouco.

— Como podem fazê-lo?

— Por instinto. São os pais quem o constroem para que possam abrigar-se e também a seus filhotes.

— Fazem isso... para lhes servir de casa?

— Exatamente.

— Olhe, mamãe... O passarinho vai partir. Já está voando!

— Agora poderemos examinar bem sua morada. Para eles, isso equivale à nossa gruta, compreende?

— Claro que sim. Só que tudo é bem menor.

— Eles também são bem pequenos, está vendo? Primeiro, constroem a armação do ninho, e logo o tecem com pequenos ramos que transportam em seus bicos. Por dentro está recoberto com penas muito finas.

— Que bonito!

— Sim, é mesmo. E olhe agora no interior.

Tomando o filho em braços para que visse melhor, Genoveva seguiu dizendo:

— O que está vendo agora?

— Umas espécies de bolinhas.

— Não são bolinhas, e sim ovos. Olhe que cor verde tão bonita têm, e que linhas e pontinhos tão lindos...

— Oh, sim! E isso serve para quê? Para brincar?

Genoveva riu suavemente de sua ingenuidade.

— Não. Servem para outra coisa muito mais útil.

Preferindo que fosse observando por si só, a explicar tudo detalhadamente, acrescentou:

— Sabe o que você vai fazer? Pois todos os dias irá se aproximar deste ninho e irá observando. Mas não toque os ovos nem moleste em absoluto os pássaros, tudo bem?

— Não, eu não os tocarei. Mas, o que irei ver, então?

— Oh! É uma surpresa, e se eu explicar agora, perderá o interesse. Faça o que lhe digo e logo saberá me dizer o que se passa.

O pequeno ficou intrigado, mas esperançoso ao mesmo tempo por descobrir o mistério que se encerrava no que chamava de "bolinhas". E todos os dias, sem faltar um, dirigia-se para os sarçais e contemplava o ninho. Os ovinhos seguiam ali, sem nenhuma alteração, e ele nem suspeitava o que iria acontecer.

— Não acontece nada de novo no ninho, mamãe — disse por fim uma manhã a criança, um pouco decepcionada.

— Não deve ter dado tempo ainda.

— Que tempo?

— Verá... todas as coisas requerem dias. Não é certo que para que chegue o verão, antes tem que passar a primavera?

— Sim. Mas o que isso tem a ver com os ovinhos?

— Talvez devesse ter feito outra comparação, usando os frutos, talvez. Você já viu como estes crescem. Primeiro são pequenos e verdes, e logo vão se colorindo e crescendo.

— Então, os ovos têm que amadurecer?

— Algo assim.

— Pois para mim eles não parecem estar mudando de cor, nem crescendo!

— Certo. Não mudam de cor ou tamanho. Mas irá ver qual a mudança quando o momento oportuno chegar!

Novamente interessada, a criança propôs:

— Vamos hoje nós dois, mamãe?

— Bom, vamos — concordou ela, sem suspeitar que fora precisamente aquele dia o destinado para se solucionar o segredo para a criança.

Pois quando chegaram no ninho, puderam comprovar como os passarinhos já haviam saído dos ovos. A criança, boquiaberta, contemplava as cascas partidas dos ovos. E o seu olhar ia, avidamente, daquelas aos recém-nascidos com grande estupor.

— Oh, mamãe! Quem quebrou os ovos?

— Estes passarinhos que acabam de nascer. Chegou o tempo deles, como lhe disse, e então eles o abriram por dentro.

— Eles têm tanta força?

— As cascas são fininhas, mas sim, eles têm força em seus corpinhos, pois Deus lhes deu a força que lhes seria necessária.

— Como são feios! Não é mesmo?

— É porque ainda não abriram os olhos, nem têm penas. Pouco a pouco irão se cobrindo com elas, crescerão e ficarão tão lindos como os outros.

— Estão muito quietos.
— Claro. Não podem voar, nem saltar do ninho. Só farão isso quando forem maiores.

De repente, ao contemplar seus corpinhos sem plumagem, o menino experimentou certa compaixão por eles.

— Pobrezinhos... — murmurou. — Estão pelados. Devem estar com muito frio.
— Não é assim, filho — replicou a mãe. — Deus vela por eles, como vela por nós. Lembra-se de que lhe falei dessas penas que recobrem o ninho por dentro?
— Sim! Agora entendi. Eles dormem sobre estas penas.
— É por isso que os ninhos são macios e quentinhos. Além disso, são arredondados, para que não tropecem em nada saliente que possa machucar-lhes.
— Mas, como o pai destes passarinhos sabe fazer tudo isto? Porque você disse que foi seu pai quem fez, não é?
— O papai e a mamãe. Mas só porque Deus os ensinou a fazer deste modo.
— Eu não saberia construir um ninho!
— É porque você não tem necessidade disso. Do contrário, nosso Senhor lhe teria dado também esta faculdade. A cada um Ele dá o que lhe convém, pois vela sobre os seres do mundo inteiro. Está vendo, por exemplo, esta frondosa folhagem que está perto do ninho? Pois ela lhes proporciona agradável sombra e os protege da chuva e da umidade.
— Assim, os pais escolheram este lugar por causa disso?
— Claro. O instinto lhes diz o que devem e o que não devem fazer. E quanto ao frio, quando o dia começa a refrescar, os pais dos pequenos voltam ao ninho e cobrem a seus filhos com suas asas, para que não sofram. Como são maiores, seus corpos têm mais calor e transmitem este aos filhotes, que, de outro modo, sendo tão pequenos, talvez morressem gelados.

A criança escutava muito atentamente e seu pequeno cérebro ia relacionando as coisas e atando cabos. Havia algo, não obstante, que não conseguia entender, e o expressou com as seguintes palavras:

— O que não compreendo, mamãe, é por que os pássaros grandes fizeram seu ninho entre estas sarças que tanto espetam.
— Isso também tem seu sentido e sua explicação. Veja bem... os corvos, dos quais você gosta tão pouco, são perigosos para estes passarinhos, pois resultam para eles um excelente bocado.
— Quer dizer que os corvos podem comer estes passarinhos?
— Podem sim. Mas por estarem rodeados de espinhos, não lhes é possível, já que não podem pousar aqui, para não se espetarem. Estas afiadas pontas os protegem, sem afetá-los, pois, como são pequenos, podem deslizar em meio

aos mesmos sem sofrer nenhum dano. Repare como em tudo, até no que parece mais insignificante, vela a Providência de nosso Pai Celestial.

Naquele ponto das explicações de Genoveva, chegou voando a mãe dos passarinhos e permaneceu na borda do ninho. Ao escutá-la, os pequenos levantaram a cabecinha, piando e batendo as asinhas. E o pequeno pôde ver, maravilhado, como aquela mãe ia colocando o alimento no bico de seus filhotes, por turno, sem que um recebesse mais que outro.

A criança, sem poder conter o entusiasmo que a cena produzia nele, bateu palmas entusiasmado, gritando:

— Que lindo é isto! Como gostei de ver tudo!

— É mesmo? Tudo isso é muito instrutivo e me alegra seu interesse, filho.

— Que tipo de comida lhes dá sua mãe?

— Sementes. Mas como são demasiado duras para que eles possam mastigá-las, a mãe as tritura primeiro, para que se abrandem e então as dá aos pequenos. Não é verdade que tudo isto é maravilhoso, filho?

— Sim, mamãe. Então, é Deus quem lhes ensina a fazer estas coisas?

— Claro... já não lhe disse que ele cuida de tudo, do grande e do pequeno? E se faz isto com seres tão pequenos, o que não irá fazer por nós, que além de tudo, somos mais importantes? Não duvide jamais de sua Providência, filhinho. Tenha a certeza de que este Senhor tão bom é quem tem cuidado de você até agora e o seguirá fazendo no futuro.

Ao escutar as últimas frases de sua mãe, a criança se emocionou, respondendo então:

— Assim o farei, mamãe, pois lhe estou muito agradecido. Porque se não fosse por Ele, eu não teria você, que me ama muito mais do que os pássaros amam a seus filhotes.

E indo em direção de sua mãe, que lhe abriu os braços amorosamente, com os olhos cheios de lágrimas, o pequeno acrescentou:

— Se não fosse por você, eu estaria morto, pois, quem iria cuidar de mim, buscar meu alimento e me fazer companhia?

E então abraçou-a fortemente, e Genoveva, também emocionada e contente ao comprovar de novo o quão agradecido era *Desditoso*, correspondeu a seu abraço, sentindo que aquelas palavras e aqueles bracinhos em torno dela a compensavam de todos os sofrimentos.

***

Os dias seguiram, sem que nem um deixasse de encerrar alguma surpresa para o pequeno, que continuava caminhando por ali, ainda que sem se afastar demasiado, indo comunicar a sua mãe tudo quanto via e que chamasse sua atenção.

A primeira coisa que fazia ao sair a cada manhã da gruta, era ir colher um ramo daquelas flores que tanto lhe encantavam por suas diversas formas e suas vistosas cores. Também se encarregava de recolher as frutas silvestres que achava e que constituíam uma parte essencial de sua alimentação.

Quando regressava, contava a Genoveva, com singular graça, tudo quanto vira, fosse referente às trocas das flores ou das árvores, como às mudanças que aconteciam com os pequenos passarinhos, cujo nascimento quase havia presenciado, os quais iam se enchendo de penas. E chegou o dia em que pôde comunicar à sua mãe, entusiasmado:

— Sabe, hoje os passarinhos começaram a voar!

Tudo quanto era objeto de sua especial atenção convertia-se logo em uma explicação para sua mãe. Quando se deu conta pela primeira vez do brilhante astro da manhã; ao descobrir em outra ocasião o magnífico arco-íris destacando-se no céu com suas belíssimas cores, depois de haver chovido; quando colocou toda sua atenção na beleza que naquelas paragens era o pôr-do-sol; ao observar, por fim, qualquer manifestação na qual não reparara antes, corria para buscar sua mãe, para que ela compartilhasse o gozo que experimentava.

Ainda que ela já tivesse visto aquilo muitas vezes, encontrava também um prazer singular em desfrutar com ele de tais maravilhas, que deixam de nos parecer assim, às vezes por causa de nos acostumarmos, e assim, não se negava a acompanhá-lo, e lhe explicava logo o que ele não compreendia e, finalmente, lhe instigava para que, juntamente a ela, desse graças ao Criador por ter-lhes proporcionado coisas tão admiráveis.

Por tudo isso, a criança estava sempre contente, causando uma profunda alegria à sua mãe, a qual, emocionada ao ver sua espontânea felicidade, não podia deixar de dizer:

— Meu Deus, um coração inocente como o de meu filho pode encontrar um paraíso na solidão. E basta a uma alma conhecê-Lo e amá-Lo para que possa gozar das delícias da glória ainda que em meio de incômodos e sofrimentos.

Nem tudo quanto crescia nos campos, no entanto, era bom para os seres, e sabendo disso, Genoveva ocupava-se também em instruir seu filho a respeito disso. Havia ali, como em todas as partes, plantas prejudiciais que poderiam causar graves consequências a quem, inadvertidamente, as comesse. Por isso, um dia ela o levou até um lugar onde havia visto várias delas, dizendo-lhe:

— Há no bosque plantas e ervas perigosas que convém conhecer. Às vezes, seu aspecto é muito agradável, e, portanto, enganoso, pois nem tudo o que é belo no mundo, meu filho, é bom. Deve aprender a distinguir isso.

Mostrou a planta que produz a beladona, a qual é venenosa a princípio, ainda que bem dosada seja usada na medicina; mostrou-lhe também as raízes da cicuta e outros tipos de plantas venenosas.

— Tenha cuidado em não comer nada disto — o advertiu. — Não coma nada que não conheça bem sem antes me mostrar. Eu lhe direi se é bom ou não, pois se comer algo disto ou de outras plantas que talvez existam por aqui e que são prejudiciais, poderia ficar gravemente enfermo, compreende?

— Sim, mamãe, e terei muito cuidado, pois não quero ficar doente. São muitas coisas bonitas para ver, e não gostaria de ficar na gruta todo o dia, sem poder sair.

— Claro que sim, e por isto é que eu o estou avisando. Deve ter muito cuidado com a saúde, pois devemos tratar de conservá-la para termos o maior rendimento possível. É preciso cuidar do corpo e da alma, meu filho. E assim como lhe ensino o que pode ser nocivo para a saúde do corpo, também irei lhe ensinando o que poderia ser muito ruim para a sua alma.

— E o que poderia ser tão ruim para a alma?

— Os defeitos. Todos temos defeitos, pois ninguém é perfeito no mundo; mas se não procurarmos vencê-los, cairemos em graves pecados.

— O que é o pecado?

— Algo que ofende muito a Deus e que deve tratar de evitar sempre, meu filho. O pecado é ainda mais prejudicial que os venenos destas plantas que lhe mostrei. Às vezes os pecados parecem tão bonitos como as flores de tais plantas, as quais atraem com suas belas cores, ou então se parecem com os frutos que às vezes dão. Aquele que as come sofre muito, podendo chegar à morte. E no que se refere à alma acontece algo parecido.

Mostrou-lhe então os defeitos em que podem incorrer as crianças, para que pudesse começar por vencer estes, e logo agregava:

— Por desgraça, ocorre com frequência que o mau nos parece mais atrativo que o bem. Apresenta-se sempre com um aspecto brilhante, que sugestiona. Por isso devemos ter muito cuidado e não se deixar influenciar pelas aparências de uma coisa. Veja, por exemplo, meu filho, estas plantas venenosas que lhe mostrei? Têm cores bonitas, não é verdade? Quem diria que dentro delas escondem o mal? Em troca, veja esta outra de cor parda, que parece tão insignificante? Pois essa é boa. Pode comê-la e não só resulta inofensiva, mas também muito nutritiva.

O pequeno gravava todos aqueles ensinamentos tão úteis em sua pequena mente e cada dia eram maiores seus conhecimentos a respeito de tudo quanto lhe rodeava. Ainda não sabia do mundo que havia além dos bosques nos quais se encontravam, pois ignorando Genoveva qual ia ser seu futuro, nada daquilo lhe havia contado.

Só o instruía, de momento, no que dizia respeito ao mais imediato. Ainda que tais conhecimentos não somente haviam de ser-lhe úteis naqueles anos de desterro, mas também lhe serviria logo, quando empreendesse, junto à sua mãe, a nova etapa que o destino lhes reservava.

12
UMA ROUPA DE PELE

Deste modo que descrevemos, pois, Genoveva e seu filho passaram aquela primavera e o verão que a seguiu. Sua solidão era grande naquelas paragens, mas se acompanhavam mutuamente e faziam mais grata sua vida com aquelas distrações inocentes que relatamos.

Por outra parte, Genoveva sentia uma grande satisfação ao pensar que, enquanto deleitava a seu pequeno com as mil novidades que continuamente surgiam, ia também o instruindo.

Chegou novamente o outono. O sol foi ficando mais frio, e cada dia saía mais tarde e se retirava mais cedo, o que não deixava de proporcionar-lhes certa tristeza, pois era realmente grande a alegria que dava só o fato de contemplar seus refulgentes raios.

Além disso, com frequência, grandes nuvens cobriam agora parte do céu, ou sua totalidade e *Desditoso* sentia-se um pouco deprimido ao ver aquelas aglomerações brancas ou acinzentadas no lugar onde tantas vezes admirara aquele bonito manto azul do céu nos dias límpidos. A terra parecia estéril e os pássaros já não animavam os contornos com seus cantos, já que muitos deles haviam emigrado, fugindo do frio que se aproximava e buscando um clima mais benévolo onde passar a estação fria.

As flores que restavam iam perdendo suas belas cores, murchavam, e pouco depois, suas pétalas secas eram arrastadas pelo vento. A folhagem das árvores, que também havia secado, tornando-se de uma feia cor amarelada, estava pendurada nos galhos, como sem vida, esperando que o vento as levasse em seus giros impetuosos.

Durante estes dias, sentindo certo temor pela proximidade da estação mais difícil do ano para eles, Genoveva sentava-se às vezes, silenciosamente, à entrada da gruta e contemplava dali o triste panorama que se apresentava a seus olhos. Também o pequeno contemplava com melancolia, pois era o primeiro ano que se podia dizer que tinha consciência de quanto sucedia ao seu redor. E então, vendo que sua mãe estava também aflita, já que havia lágrimas em seus olhos, que ela tentava em vão reter, aproximou-se dela e lhe disse:

— Mamãe! Por que tudo está tão estranho? Será que Deus já não nos quer bem, e por isso faz assim? As plantas murcharam, e quase não há nenhuma flor, as folhas das árvores secaram e os pássaros fugiram. Tudo parece estar morrendo. Ele nos abandonou, mamãe?

Genoveva compreendeu novamente que devia superar a sua depressão, já não mais só por ela, mas também especialmente por aquele filho que parecia espelhar-se nela como em um espelho e que tomava como exemplo tudo que a via fazer ou a escutava dizer. Tentou tirar forças da fraqueza, e sorrindo lhe respondeu:

— Não, meu filho. Deus não nos abandonará jamais enquanto formos bons e devotos. Mas deve levar em conta que na criação tudo muda, se modifica, ainda que no fundo sempre para o bem. A única coisa que não muda nunca é o grande amor que nosso Pai Celestial sente por nós, apesar de que em alguns momentos pareça que nos deixe de lado.

— Assim me pareceu, mamãe, quando me encontrei sem todas essas coisas bonitas que tanto me alegravam. Por que mudaram? Era mais bonito daquele modo.

— Se não mudassem, não se cumpririam as leis eternas, meu filho, que são as mais importantes. Tudo isso que está vendo, e que lhe parece morto, acabado, é só na aparência. Significa unicamente que a terra se prepara para o repouso invernal. Não é que esteja morta, é como se... descansasse, compreende?

— Como nós fazemos à noite, não é?

— Não sei explicar muito bem, pois para mim mesma é difícil às vezes compreender. Mas sim, seria algo parecido com isto. Então, como depois da noite vem sempre o dia, depois do inverno, por mais duro que tenha sido, chega outra vez a primavera.

— E voltará a haver flores e morangos, e os passarinhos, dos quais tanto gostava, irão voltar?

— Claro que sim. Tudo voltará como antes, e então você ficará muito contente em gozar novamente disso.

O menino ficou mais tranquilo e alegre, mas Genoveva, apesar de tudo que afirmara, e em que acreditava realmente, não podia deixar de experimentar uma angústia interna. Então, dizia-se:

"Trato de animá-lo para que não se entristeça, mas em troca, eu não posso afastar totalmente de mim o temor. Pois mesmo tendo certeza de que a primavera sempre retorna, o inverno é penoso neste lugar, e me assusta. Tentarei ter em mente, no entanto, que os sofrimentos sempre obtêm sua compensação e afastarei essa amargura que às vezes parece apoderar-se de meu coração."

Encontrava também, como sempre, um lenitivo para esses angustiantes pensamentos nas ocupações, que eram mais numerosas naquela época, já que a mesma Genoveva se ocupava de recolher provisões para o inverno. Quando os dias eram amenos, ela e seu filho saíam da gruta com tal fim, pois ele a ajudava nos afazeres, que, mais que trabalho, representavam uma distração para ele.

Colhiam os frutos silvestres que eram comestíveis e podiam ser conservados, e que eram de grande utilidade no inverno, especialmente quando a camada de neve que tudo cobria lhes tornava quase impossível sair de sua rústica vivenda.

A cerva continuava ainda com eles e mesmo quando durante o dia perambulava pelos contornos, segundo seus costumes, sempre acabava por voltar à gruta, entre seus amigos, com os quais compartilhava gratamente sua morada.

Havia algo, no entanto, que cada vez mais preocupava Genoveva: seu vestido. Durante aqueles anos foi rasgando e não contando com nada para remendá-lo, já caía em farrapos ao longo do corpo. Durante o bom tempo não havia se inquietado a este respeito, pois ainda que preferisse ter como trocar de roupa, sabia que era inútil rebelar-se contra o impossível.

Mas ao ir se aproximando o tempo frio e começando a sentir o rigor do mesmo em sua carne, sua inquietude crescia. Tentou recompô-lo com fibras vegetais resistentes, mas compreendeu que, ainda que conseguisse melhorá-lo um pouco, isso não impediria que o frio penetrasse através do tecido gasto.

Em certa ocasião, se viu tão apertada neste sentido, que não pôde evitar chorar, enquanto murmurava desconsolada:

— Quanto não daria para ter uma agulha e um pouco de fio para remendar bem este vestido! Agora sim, é que me dou conta do quão pouco os seres humanos apreciam os benefícios de que desfrutam. Há muitas que suspiram, choram e se sentem desgraçadas, por não poder ter um vestido novo quando possuem outros, lindos também e em bom estado, que agora seriam para mim o maior dos luxos. Só apreciamos realmente as coisas quando não as temos, é bem verdade, e deveríamos apreciá-las muito mais, pensando sempre naqueles que carecem até do necessário.

Ao vê-la chorar e escutar seus lamentos em voz baixa, o pequeno se aproximou de sua mãe, também entristecido. Já sabia por que estava ela tão angustiada ultimamente, e por isso, aproximando-se carinhosamente, tentou consolá-la dizendo:

— Não se aflija, mamãe. Lembra o que me disse um dia, quando o pelo da cerva estava caindo? Você me assegurou que Deus tornaria a vesti-la, como para sempre. E se Ele logo a vestiu, como vimos, por que não irá vestir a você, que tanto o ama e que sempre reza?

As ingênuas palavras da criança tiveram a virtude de animar Genoveva e devolver-lhe a confiança perdida. Era ela quem lhe havia ensinado as maravilhas da fé e agora, em troca, parecia ser ele quem a ensinava, o que era verdade, pois instruímos uns aos outros, às vezes sem nos darmos conta.

A boa mulher trocou o pranto por um suave sorriso, e abraçando ternamente a seu filho, respondeu:

— Tem razão, meu pequeno. Deus não pode nos abandonar, e se veste os animais, também me proporcionará algo com o que me vestir.

Alguns dias depois, Genoveva disse a seu filho que ia sair, desta vez só, pois queria ir mais longe para ver se encontrava alguns frutos para aumentar sua reserva invernal.

— Não se afaste da gruta, meu filho — recomendou. — Não demorarei a voltar.

Amarrou à cintura, com uma correia feita de raízes, uma abóbora cheia de leite, pegou um grosso cajado e adentrou no bosque, guiada sem dúvida pelos luminosos seres que, como servidores de Deus, ajudam a quem roga.

Quando chegou à base de uma colina, a cujo cimo se propunha a subir, sentou-se sobre uma grande pedra para descansar um momento e beber um pouco de leite.

De repente, com grande sobressalto, viu se aproximar do lugar onde estava um grande lobo, que levava uma linda ovelha presa em sua boca. Genoveva se levantou presa de um grande espanto e começou a tremer de medo. O lobo, ao notar a presença humana, se deteve e seus brilhantes olhos se fixaram ferozmente em Genoveva.

Mas ela, reagindo impulsionada por aquela força interior que em tantas ocasiões a sustentara e que formava parte da singular proteção que o céu lhe concedia, pegou o grosso cajado que levava e, se aproximando valentemente do lobo, deu-lhe um terrível golpe na cabeça.

A fera, abandonando então sua presa, se precipitou pela descida. Genoveva inclinou-se para a ovelha, que estava exangue. Verteu um pouco de leite em sua boca para tentar reanimá-la, mas foi inútil. O pobre animal estava morto.

Ao comprovar isso, Genoveva sentiu piedade pela infeliz ovelha e, enquanto a contemplava tristemente, exclamou:

— Pobre animal! Que maneira terrível de morrer! Provavelmente veio dos lindos lugares onde eu vivi em uma época feliz! Quanto tempo faz que não tenho notícias de ninguém! Talvez você pertencesse a um dos rebanhos do meu esposo.

Enquanto isso, ia percorrendo com os olhos o corpo do animal, e de repente acrescentou, assombrada, experimentando alegria e pesar ao mesmo tempo:

— Sim, pertencia ao nosso rebanho, pois leva a marca de nossa casa. Talvez, se estivesse viva, poderia entender minhas palavras e talvez me responder, e então eu lhe perguntaria: meu esposo já regressou da guerra? Ainda se lembra da infeliz Genoveva? Já sabe que não fui culpada ou continua duvidando? O único consolo que Deus não me prodigalizou, foi o de esquecer aquela vida tão ditosa. Meu esposo vive na abundância e bem-estar, e, em troca, nosso filho e eu temos de lutar continuamente contra a fome e o frio.

Subitamente uma ideia cruzou por seu cérebro, acalmando um pouco o desespero que ameaçava invadi-la. Então, ela pensou:

— Certamente não estou muito distante do castelo de meu esposo. De outro modo, como se explicaria que este animalzinho tivesse chegado até aqui? O que aconteceria se voltasse à nossa casa de novo, levando nos braços meu filho?

Tal perspectiva lhe resultava tão grata que teve que lutar fortemente contra ela. As lágrimas rolavam por sua face e uma forte batalha se travava em seu interior. Mas, finalmente, decidiu-se:

— Não, não posso sair daqui, como já pensei em outra ocasião. Estou obrigada a permanecer para sempre nestas paragens, por causa do juramento que fiz aos que haviam de ser meus verdugos. Talvez meu regresso custasse a vida daqueles dois homens, que foram tão generosos comigo.

Não era sem experimentar desânimo que se dizia tais palavras para convencer-se a si mesma, mas apesar disso, continuou dizendo:

— Fiquei aqui até agora, e ficarei até que Deus disponha. Se Ele deseja que algum dia eu e meu filho saiamos deste desterro, saberá guiar para aqui os passos de alguma pessoa caridosa, que nos devolva a nossa morada. Mas se não é assim, permanecerei neste lugar, pois prefiro seguir suportando as adversidades que ter um remorso na consciência para sempre.

Quando tomou esta firme resolução, voltou a pousar os olhos sobre a ovelha morta, e então deu-se conta de que aquele encontro havia sido providencial. Deus havia escutado seus lamentos e em resposta lhe proporcionava aquele singular vestido!

Como já fizera em outra ocasião para cobrir a seu filhinho, despojou a ovelha de sua pele, usando uma pedra afiada na falta de faca, e a lavou logo em um rio que havia perto dali. Uma vez limpa do barro e do sangue, a estendeu ao sol, e quando estava seca colocou-a sobre o corpo, amarrando-a com a correia de raízes.

Por causa de tudo isto, já era muito tarde quando regressou à gruta, e *Desditoso*, que estava vigiando o caminho, já um pouco preocupado, correu em sua direção ao ver avançar uma figura. A noite começava a estender suas sombras, mas o pequeno não teve dúvida de que era sua mãe quem chegava ali, pois jamais havia visto a outro ser humano.

— Mamãe! Mamãe! — exclamava alegremente, aproximando-se. — Finalmente você voltou!

Quando chegou mais perto, no entanto, se deteve desconfiado. Aquela pessoa que se aproximava parecia maior que sua mãe. Havia algo nela que o desconcertava. Era a pele de ovelha que a cobria em parte, e ele ia fugir, temeroso de algum perigo ignorado, quando Genoveva o chamou carinhosamente:

— Não tema, meu filho! Sou eu.

O menino parou novamente e a esperou. Quando Genoveva estava bem próxima, ele a reconheceu, e então correu para ela, exclamando:

— Graças a Deus! Por um momento, achei que não era você! O que é isso que está usando por cima da roupa? Parece-se com a minha roupa!

— Sim, e o obtive quase da mesma maneira.

— Como assim?

— Deus me proporcionou esta vestimenta, assim como me proporcionou a sua, quando não tinha nada com que cobrir você.

O menino dava saltos de entusiasmo, enquanto exclamava:

— Viu como tudo aconteceu, tal qual eu disse? Deus providenciou-lhe um vestido para o inverno, como fez com a nossa cerva, quando ela precisou.

Ao falar, tocava com seus dedinhos a lã branca, murmurando com admiração:

— Como é macio! Faz-me pensar nas nuvenzinhas que às vezes vemos no céu quando começa a primavera. Nota-se que é um presente que Ele lhe fez, de tão linda que é esta pele.

Consolada por aquelas ternas palavras, Genoveva entrou com ele na gruta e o pequeno, vendo que ela estava cansada, foi lhe buscar, em seguida, um pouco de leite, trazendo também um daqueles cestos que ela fizera, cheio de frutas.

Sua mãe comeu com gosto e, uma vez tendo reparado suas forças, cedeu aos desejos do pequeno, que rogava que ela lhe explicasse como havia conseguido aquela pele. Genoveva assim o fez, contando com detalhes a aventura, que o pequeno escutava com deleite, admirado com a valentia de sua mãe ao fazer frente àquela fera.

Então foram se deitar, e assim terminou, para ambos, aquele dia que havia trazido algo variado em suas jornadas, quase sempre, iguais.

***

Chegou novamente o inverno, o qual obrigava Genoveva e seu filho a permanecerem a maior parte do tempo no interior da gruta. Mas, de vez em quando, o dia amanhecia tão sereno e o sol era tão radiante que, apesar do frio, eles podiam sair e passear prazerosamente pelos arredores. Foi então que a mãe, que não desperdiçava nenhuma ocasião de poder instruir seu filho, fazendo-o aprender ao mesmo tempo a encarar as coisas sempre pelo lado bom, lhe disse em uma ocasião:

— Você já percebeu, meu filho, que mesmo em uma estação tão dura quanto o inverno, a mão de Deus se manifesta por todas as partes? Repare como é bonito, apesar de tudo, aquilo que nos rodeia! Olhe como brilha a neve quando o sol expande sobre ela seus raios. E repare também nos abetos. O que você está vendo neles de particular?

O menino contemplou as atraentes árvores, e murmurando um pouco perplexo, respondeu:

— Parecem estar como em outras épocas. Conservam seus ramos.

— Isso é o que queria que visse, para demonstrar-lhe de que modo Deus cuida de todas as criaturas. As outras árvores perderam sua frondosa folhagem, pois têm que renová-la, mas os abetos conservam suas graciosas e espessas ramagens para que os animais que povoam o bosque possam refugiar-se debaixo delas.

— Também os passarinhos?

— Oh! Eles são pequenos e os que ficaram aqui se acomodam em qualquer parte. E também a Providência do Senhor lhes ampara, já que permite que mesmo no inverno os zimbros, essas árvores de madeira avermelhada, forte e cheirosa, sigam dando seu fruto azul-escuro para que eles possam comê-lo. Por outro lado, como já lhe disse, apesar do frio que faz, o manancial que há perto de nossa gruta nunca congela.

— Isso é para que nós possamos beber?

— Nós e todos os animais que povoam este lugar, pequenos e grandes. Está vendo como se manifesta a bondade do Criador, mesmo nesta rigorosa estação?

— Sim, eu o vejo, e quando faz este sol tão bonito, não me parece triste como outras vezes, mas mais alegre.

Seguiram passeando e tomando sol, regressando depois à gruta mais reconfortados.

Quando o frio era mais rigoroso e o furacão sacudia furiosamente as árvores do bosque, a criança saía ao exterior da gruta levando nos cestos de sua mãe sementes e fibras de erva seca e ali acudiam, para comer, passarinhos, cervos e lebres, aos quais a extraordinária crueza do dia não havia permitido buscar o sustento como de costume.

Tanto se familiarizaram com aquele generoso pequeno, que chegavam mesmo a comer em suas próprias mãos. E, em outras ocasiões, quando a temperatura melhorava e sua mãe lhe deixava sair um pouco para brincar pelos arredores, o reconheciam, e juntando-se a ele, compartilhavam de seus jogos.

Estes eram os inocentes prazeres que alegravam a vida do pequeno, mesmo no inverno, e ao mesmo tempo, proporcionavam satisfação à mãe, pois nada a contentava mais que ver alegre àquele a quem um dia, em uma sinistra prisão, havia posto o nome de *Desditoso*.

Apesar disso, a pobre tinha também suas preocupações, que de vez em quando a assaltavam com maior ímpeto, entristecendo-a e assustando-a com tristes visões para o futuro. Era especialmente à noite, quando o silêncio era completo, que as ideias negras lhe turbavam, ainda que o pequeno nada soubesse das mesmas.

Apenas se deitava e adormecia com o tranquilo sono da infância. Mas sua mãe custava a conciliar o sono, e havia noites em que não conseguia dormir em absoluto, com a mente repleta de inquietudes. E aquelas horas se faziam longas, intermináveis, sendo nas mesmas quando mais lamentava tudo quanto havia possuído.

Suas reflexões eram melancólicas em tais ocasiões, e seu habitual otimismo e confiança pareciam abandoná-la. Por isto lamentava-se:

— Como ficaria contente se tivesse ao menos uma lamparina para me iluminar nestas noites intermináveis! Se eu a tivesse e contasse com algum livro, poderia me distrair de meus sombrios pensamentos. Ou se tivesse um fuso e cânhamo para fiar, me poria a trabalhar, ainda que fosse a estas horas, e assim as horas passariam mais depressa e ainda realizaria algum afazer útil.

A inatividade a que se via submetida em tais momentos era o que aumentava sua fadiga, pois é bem certo que qualquer afazer, ou uma leitura resultam eficazes para vencer as tristezas e temores que nos assaltam em horas de quietude e solidão. E assim, seguindo o fio de suas lamentações, continuava dizendo a si mesma:

— A mais humilde pastora de nosso condado é mais feliz que eu, pois tem estas coisas singelas que tanto anseio. Ela se reúne com os seus no lar e enquanto trabalha em seus labores, sob a luz das velas, se distrai com agradáveis conversas.

Dando-se conta, no entanto, de que aquelas queixas desmentiam sua confiança no Criador, a qual transmitia a seu filho, reagia valentemente, acrescentando:

— Mas tudo isto não tem importância! Ainda que esteja afastada dos homens, comprovo sempre que Deus não me deixa. Posso conversar com Ele nestas longas horas invernais, o que me consola muito, pois se não fosse por isto, creio que já teria morrido de tristeza. O fato de meu filho e eu termos vivido neste lugar durante tanto tempo, sem grandes tropeços, só prova qual é a atenção com que Deus nos distingue e quanta fé iremos de seguir tendo n´Ele.

13
GENOVEVA SE SENTE MUITO DOENTE

    O tempo foi passando, e as estações se sucederam. E assim se passaram sete anos para Genoveva e seu filho, vivendo naquele desolado lugar. Usando toda a sua valentia, confiança e ânimo, haviam conseguido passar aqueles anos, não sem incômodos e sofrimentos, como já relataremos, mas também com alegrias e prazeres simples e elevados.

    Mas aquele inverno no qual agora os encontramos, era, todavia, muito pior que os anteriores. O frio era quase insuportável e havia espantosas tormentas de água e de neve. O vale e os montes circundantes estavam cobertos com uma espessa capa de neve, e era tal a quantidade da mesma que ao se acumular sobre os galhos das árvores, fazia estas caírem ao solo truncadas por causa de seu peso.

    Como em todos os invernos, Genoveva havia tido o cuidado de colocar nova proteção de galhos na entrada da gruta, pois ainda que agora as folhas estivessem secas, os mesmos galhos flexíveis protegiam também um tanto o interior da atmosfera externa. Mas nada conseguiu aquele ano com tal precaução, já que a violência do vento era tanta, que não só arrancava os galhos, mas também que fazia penetrar no interior montes de neve, que chegavam mesmo a empapar o musgo que lhes servia de leito, e que Genoveva ocupava-se também em renovar periodicamente.

    Era tão intenso o frio que nem sequer o calor natural dos três corpos que ali se refugiavam, incluído naturalmente o da cerva, resultava eficaz para minorá-lo um pouco.

    Ao chegar a noite, ouvia-se mais forte que nunca o uivo dos lobos. Escutando-os, Genoveva não podia dormir. Estremecia ao escutar os lamentos daquelas feras selvagens, que também padeciam por causa da baixa temperatura, e que, famintos sem dúvida, constituíam um perigo para ela e seu filho. *Desditoso*, pelo contrário, dormia tranquilamente e não parecia se ressentir da frialdade da atmosfera, sem dúvida porque havia crescido ali e sua natureza se havia acostumado a isso. É verdade que durante um dos invernos ficou enfermo por causa da inclemência do tempo, mas agora, já maior, resistia perfeitamente.

Genoveva, em troca, que havia sido criada entre comodidades e atenções, igual a uma princesa, e que jamais havia tido que suportar aqueles duros embates do tempo, o sentia mais. O inverno era sempre penoso para ela, mas nenhum havia sido tão rigoroso como o presente, e ela chegou a se assustar verdadeiramente ao notar que sua saúde, que até então havia resistido bem, começava a se ressentir. Então se dizia, angustiada:

— Se pelo menos pudesse ter um pouco de fogo para me esquentar... ainda que só fossem umas poucas brasas. Mas, meu Deus! Quanto tempo faz que não vejo uma sequer! Acovarda-me este frio tão intenso que parece me gelar até o sangue. E aqui fora há tanta lenha com a qual se poderia fazer um bom fogo!

Pouco a pouco, seu belo rosto ia empalidecendo e a cor rosada de suas bochechas eram substituídas por uma lividez alarmante. Enfraquecia e seus olhos azuis, tão formosos e brilhantes de costume, iam perdendo seu brilho e sua expressão, fundindo-se nas órbitas e rodeando-se de umas tristes olheiras.

Perdia as forças e seu estado chegou a ser tão lastimoso, que mesmo seu filho, que havia acreditado ser um mal-estar momentâneo que a acometera, se preocupou verdadeiramente, e lhe disse:

— O que está se passando com você, mamãe? Está tão mudada. Pensei que padecia pelo frio e que estava triste por não podermos sair da gruta, mas agora me parece que tem outra coisa pior, porque em nenhum outro inverno eu a havia visto assim.

Genoveva, que cada dia se encontrava mais desfalecida, lhe respondeu:

— É que estou doente, meu filho, muito doente.

Ele sentou-se junto a ela, solícito, e lhe perguntou ternamente:

— O que é que você tem? O que a está incomodando?

— Nada... e tudo. Não sei se poderei suportar este inverno.

— O que quer dizer?

— Aflijo-me em entristecê-lo, meu filho, mas é melhor que esteja preparado. Temos suportado grandes dificuldades aqui. Muitas mais do que eu teria imaginado. Mas agora minhas forças estão chegando ao limite. Talvez... eu morra, meu filho.

A criança, sem compreender o que ela queria dizer, mas intuindo que era algo muito grave, balbuciou:

— O que é isso, mamãe?

— Vou tentar explicar melhor — respondeu ela, aflita por não saber de que modo explicar a ele. — Quero dizer que talvez durma para sempre.

— Dormir para sempre? Quer dizer não voltar a despertar pela manhã?
— Sim, é isso, pequeno.
— É isso o que você vai fazer?
— Mas não por minha vontade, meu filho. Mas pressinto que estaremos juntos por muito pouco tempo. Já não tenho forças quase nem para me levantar. Creio que não demorarei em cerrar os olhos, como lhe digo, e não voltarei a abri-los para contemplar com você, como outras vezes, as maravilhas que nos envolvem. Tampouco poderei ouvi-lo, meu filho, pois nem sua voz, nem suas risadas, poderão já ressoar em meus ouvidos. Meu corpo irá gelar, como essa neve que você vê aí fora, e depois minha carne irá se corromper até ficar convertida em pó.

As palavras que sua mãe pronunciava com profunda desesperança resultavam tão atrozes para a criança, que ela não pôde resistir, e lançando-se ao pescoço de Genoveva, repetia:
— Eu não quero que morra, mamãe! É verdade que não irá morrer? Diga que não fará isso!

Ao ver o desespero de *Desditoso*, ela tentou mostrar um semblante mais sossegado, para acalmá-lo. E foi com um tom já mais suave que lhe disse:
— Não chore e nem se desespere, meu filho. É preciso enfrentar as coisas.
— Mas não irá morrer, não é verdade?
— Se pudesse evitá-lo... ainda que só fosse por você, filhinho. Mas isso não está em minhas mãos. Não sou eu quem decide o momento. Quando a hora chega, nada podemos fazer, já que é Deus quem manda em nossa vida. E se Ele o resolveu assim, não devemos nos rebelar, mas sim nos conformarmos para aceitá-lo.

A criança não podia se conformar com o que sua mãe lhe dizia, pois tudo era muito novo para ele, e, portanto, confuso.

Por isso, sem atender aos conselhos, se rebelou exclamando:
— Deus não pode querer isso, mamãe! Você me diz sempre que Ele é muito bom. Como é possível que, sendo tão bom, queira agora que você morra e se afaste de mim? Eu sou muito menos que esse Deus tão grande e não queria que morresse nem um só passarinho. Como Ele pode consentir, então, que você morra?
— Compreendo suas razões, meu filho, e não está de todo errado, mas tem que aprender ainda muitas coisas. Você já sabe, porque já lhe disse algumas vezes, que nem tudo se reduz a este mundo nosso, pois há outro para o qual as pessoas partem quando morrem.
— Bom, mas somente quando são velhas e não servem para nada.

— Nem sempre é assim, pequeno, pois Deus tem seus projetos para cada pessoa e não devemos discuti-los.

Desejava encontrar palavras para fazê-lo compreender aquele feito, que para ele não podia deixar de ser terrível, e não encontrou modo melhor de fazê-lo que com um exemplo. E começou dizendo:

— Preste atenção, pois vou fazer uma comparação para que compreenda melhor. Lembra-se de que, quando minha roupa ficou tão esfarrapada, eu joguei fora uma parte dela porque já não me servia?

— Sim, eu me lembro.

— Pois é assim que se faz ao morrer. Deixa-se o vestido velho, que logo se consome. Mas a parte mais pura do ser, que é a alma, voa para o outro mundo, para o infinito, e ali tem outro tipo de corpo e outro tipo de vestido, muito mais bonito.

— Mas, ainda que seja assim, você não tem que morrer ainda. Agora é inverno e as coisas estão ruins aqui, mas a primavera já irá voltar, como você me diz sempre, e então ficará contente outra vez.

Genoveva emocionava-se ao escutar aquelas ingênuas razões, e cada vez lhe era mais penoso seguir explicando o que desejava esclarecer ao filho, tanto pela emoção como pela escassez de suas forças. Fazendo um esforço, não obstante, seguiu dizendo:

— Não pense que onde creio que irei, estarei mal, ao contrário. Ali não passarei frio, nem terei nenhuma enfermidade. Neste lugar não irei chorar nunca, nem terei que me queixar, pois serei completamente feliz. Para que possa compreender, meu filho, a diferença que existe entre o céu e a Terra, só direi que o céu é comparável à mais radiante primavera, sendo a vida nesta Terra como um interminável e penoso inverno. Você também irá para lá, meu filho, quando chegar sua hora, se seguir sempre os conselhos que lhe dei.

Ao menino, que estava escutando atentamente tudo quanto sua mãe dizia, em especial as últimas frases, lhe pareceu que aquele lugar do qual falava era um lugar encantador, que não inspirava medo algum, e assim exclamou ingenuamente:

— Posso ir também agora com você, mamãe! Por que tenho que esperar? Eu quero morrer para partir em sua companhia. Não quero ficar aqui sozinho. É claro que tenho a cerva, da qual gosto muito, mas quando lhe falo nunca me responde. Deixe-me ir com você para esse lugar tão bonito do qual fala, onde sempre é primavera e não há neve! Você me diz o que tenho que fazer para dormir daquele modo, e vamos nós dois.

Genoveva se sobressaltou ao escutar tais palavras e se levantou para exclamar com os olhos bem abertos:

— Não diga isso, pequeno! Não podemos ir quando queremos, mas somente quando Deus nos chama. Fazer outra coisa é pecado. Tem o dever de seguir na Terra e cumprir os deveres que o Senhor lhe impuser. Se o fizer, dentro de muitos anos, quando Ele assim o determinar, irá se reunir a mim.

Genoveva percebeu que havia chegado o momento de ensinar a criança a respeito do que fazer para que, efetivamente, não se encontrasse só naqueles lugares, pois só de pensar nisso, ela se desesperava. Tratando, não obstante, de vencer seus temores e conservar a serenidade, que lhe era tão indispensável em tais momentos, tomou uma mão da criança e, encarando-a fixamente, disse:

— Escute com muita atenção o que vou lhe dizer, meu filho. Quando você notar que dormi e não volto a despertar, notar que não respiro e que minhas mãos estão geladas, permanece ainda neste lugar dois ou três dias, até que tenha a completa certeza de que morri. Depois, vá embora daqui, andando na direção onde se levanta o sol todas as manhãs. Pouco a pouco, a vegetação ficará mais clara e o caminho ficará mais fácil...

A pobre mulher se deteve para tomar alento, e logo acrescentou, tirando forças da fraqueza:

— Quando tiver chegado ao final desta afastada selva, verá se estender diante de seus olhos uma grande planície, na que habitam muitos seres humanos.

Ao escutar as últimas palavras, uma enorme estupefação se desenhou no semblante de *Desditoso*, que exclamou com veemência:

— Muitos seres humanos? Nunca me disse isso. Eu pensava que neste mundo só vivíamos você e eu, além dos animais do bosque... Por que não fomos nos reunir com eles? Talvez nos ajudassem...

Um sorriso amargo entreabriu ligeiramente os pálidos lábios de Genoveva, que replicou tristemente:

— Não podiam nos ajudar, pois se foram eles mesmos quem nos expulsaram de sua companhia, nos deixando neste desterro. Quiseram até nos matar, meu filho.

No rosto do pequeno se pintou a decepção e aquela ilusão que repentinamente lhe havia nascido para conhecer mais pessoas se desvaneceu.

— Mas, então, se eles são maus, não quero ir me encontrar com eles. Gostaria de ir se todos fossem tão bons como você. E por que são maus? É por que não gostam de Deus?

— Muitos não.

— Talvez porque ninguém lhes tenha falado d'Ele como você fez comigo, fazendo-me conhecê-Lo e querê-Lo. Tampouco devem saber que há o céu. Diga-me, mamãe, todas essas pessoas também morrem?

— Todas. A hora chega para cada um, em um momento ou outro.

— Certamente O ignoram, pois de outro modo seriam melhores, sabendo que um dia terão de se apresentar diante de Deus, que conhece tudo o que fizeram. Sabe o que vou fazer? Irei até lá, como você disse, e quando chegar diante deles, direi: "Devem ser muito bons, porque todos têm que morrer um dia, e se não o forem, não irão para o céu." E acho que todos irão acreditar em mim, e já não serão maus.

Genoveva admirava a ingenuidade do seu filho, tão puro e inocente, mas sua voz foi mais triste que nunca quando replicou suavemente:

— Tem muito boa vontade, filhinho, mas temo que não lhe sirva de grande coisa neste sentido. Eles sempre souberam o que eu o ensinei, pois a eles também foi ensinado, mas apesar de saberem, não melhoram de conduta. Alguns vivem na abundância, tendo mesas repletas de deliciosos manjares, bebendo deliciosos vinhos. Usam roupas feitas de tecidos primorosos e se adornam com objetos que chamam joias, mais brilhantes que as refulgentes estrelas.

Genoveva tinha que se deter de vez em quando, devido à sua extrema falta de forças; mas logo, impulsionada pelo desejo de que ele conhecesse parcialmente os costumes daquele mundo no qual dali em diante teria que viver, continuava:

— Não poderia explicar-lhe como são as casas dos poderosos, porque você, que viveu sempre nesta mísera gruta, não poderia sequer imaginar, mas eu lhe direi que durante o inverno esquentam seus lares com fogo, de tal modo, que se você estivesse nelas, acharia mesmo que sol havia entrado na casa.

— Fogo? O que é o fogo, mamãe?

— Não poderia explicar-lhe tampouco de maneira que tivesse uma ideia clara. Mas saiba que o fogo derrama ao seu redor um calor semelhante ao que sentimos no verão, e à noite, ilumina os lugares onde é aceso, de maneira que ainda que não haja outra luz, as pessoas podem se ver umas às outras.

— Oh, que coisa linda!

— E é realmente. E os homens têm tantas coisas belas! Mas são muitos os que não agradecem a Deus tantos benefícios; e em vez de amarem-se uns aos outros, como Ele deseja, se odeiam entre si e parece que encontram gosto em prejudicarem uns aos outros.

— Como podem fazer isto? Quando morrerem, Deus lhes castigará.

— Certo, mas eles não pensam nisso. Não há dia em que não morra alguém, mas os que ficam permanecem tão tranquilos como se eles fossem viver eternamente.

Desditoso, que havia se interessado um pouco quando sua mãe descreveu as mansões dos poderosos, especialmente ao aludir ao fogo, que muito teria gostado de ver, voltou a se abater ao considerar o que aqueles seres humanos faziam entre si, e concluiu:

— Se é como diz, mamãe, não quero ir ter com essa gente. Quase diria que se parecem com os lobos, que destroçam a outros animais.

— De fato é, por desgraça, meu filho, e não devo ocultar-lhe isso.

— E pelo que vejo, não têm muito mais entendimento que nossa cerva, a qual não pode compreender o que dizemos.

— Pude comprovar que é assim, pequeno, pois muitos homens não entendem uns aos outros.

— E como podem viver felizes? Quando me contou sobre seus alimentos e vestidos, tive um pouco de inveja deles, mas agora já não tenho. Prefiro seguir vivendo nestes bosques. Aqui há muitos animais bons, que não nos causam dano. Alguns até brincam comigo, e eu lhes quero. Ainda que você tenha que ir, mamãe, se não há outro remédio, prefiro seguir vivendo aqui com a cerva.

— Compreendo seus sentimentos, e sei que lhe resultará duro tratar com os seres humanos, mas tem que ir ter com eles. De todos os modos, e ainda que eu tenha feito algumas advertências, não pense que irão lhe fazer algum mal quando chegar até eles.

Genoveva parou por alguns momentos, já que havia chegado ao ponto crucial de suas explicações. Já era hora de lhe falar de seu pai, de seu idolatrado esposo, que tantas vezes a pobre havia ansiado em seus momentos de solidão. Então, juntando suas forças, seguiu dizendo:

— Escute com atenção, filhinho, pois vou dizer algo muito importante. Até agora, quando eu pronunciava a palavra "pai" sempre me referia ao Pai que temos nos céus. Mas é preciso que saiba que também aqui na Terra você tem um pai, assim como o têm os passarinhos e todos os animais do bosque, como já notou.

Uma expressão de prazerosa surpresa apareceu no rosto de *Desditoso*.

— Eu tenho outro pai? Um pai de carne e osso, parecido com você?

— Sim, filho.

— E poderei vê-lo e falar-lhe, e ele me responderá? Não será como o Pai Celestial, que sempre está calado e que ainda não pude ver?

— Não, não será como Ele. Seu pai poderá falar-lhe e o responderá, e não poderá deixar de lhe amar.

O pequeno estava realmente alvoroçado com aquela notícia extraordinária.

— Falar comigo! E eu poderei pegar em sua mão, como faço com você, e dar-lhe beijos?

— Claro que sim — respondeu Genoveva, comovida. — Ele seguirá lhe dando o carinho que eu não poderei mais.

Notou, então, que a criança não a escutava. Seu prazer havia se trocado por cisma e seu pequeno cenho estava franzido. Pouco depois perguntava, com certa fadiga:

— Se pode falar e, portanto, andar como nós, porque não veio viver aqui? Ele é, talvez, um desses homens maus dos quais me falou?

— Não, filhinho — se apressou a responder ela. — Ele é muito bom, mas não sabe que estamos abandonados neste lugar. Pensa que estamos mortos e que eu fui uma mulher muito ruim, porque assim o fez acreditar, usando de calúnias, um homem malvado que tem a seu serviço.

Novamente intrigado, pois ia de assombro em assombro, *Desditoso* perguntou:

— O que são calúnias?

Genoveva, ao recordar aqueles tristes dias, a terrível cena em que Golo matou o inocente Dracón, os terríveis meses passados no cárcere como uma criminosa, não pôde conter suas lágrimas. E foi com voz quebrada pela emoção que lhe respondeu:

— Calúnia quer dizer... atribuir a uma pessoa... uma má ação que não cometeu...

— Não... não compreendo bem, mamãe.

— Claro. É demasiado pequeno para entender estas coisas. Eu usarei um exemplo, para ver se compreende melhor. Se um homem diz que outro matou alguém e não é verdade, isto é uma calúnia. Como se uma manhã a cerva amanhecesse morta e eu dissesse: "Você matou a cerva", sem que você nem sequer a tivesse tocado. Isto seria uma calúnia.

— Já começo a entender.

Sentiu-se então indignado, pois seu pequeno coração ia começando já a experimentar todo tipo de sentimentos, e então exclamou:

— Como pode ser que os homens façam isto? É um pecado, segundo percebo pelo que você me falou deles, e agora vejo que essa gente deve ser muito má para se portar assim.

— Nem todos o são, afortunadamente. Mas o homem que é culpado por estarmos aqui, este sim, o é, e muito. Meu esposo, seu pai, acreditava que ele era nobre e leal. Ele soube enganá-lo bem, com sua hipocrisia.

Então, Genoveva contou a seu filho tudo quanto pôde a respeito daquele assunto, ou o que ele poderia entender daquele doloroso e repugnante caso. Era já muito grande a sua fadiga por haver falado tanto, e notando isso, a criança lhe disse:

— Não se canse mais, mamãe. Descanse agora um pouco e procure dormir. Mais tarde seguirá me explicando tudo isso. Eu e a cerva a velaremos.

Genoveva, sentindo-se, de fato, desfalecida e advertindo que ainda sobravam muitas coisas para dizer a seu filhinho, cedeu, pedindo a Deus que lhe concedesse a vida ao menos até ter-lhe dado as instruções necessárias. E ainda que não dormisse, fechou os olhos e descansou, a fim de obter forças para seguir dizendo-lhe tudo quanto era conveniente.

***

De fato, o menino não saiu de seu lado. A cerva também estava deitada perto da doente, proporcionando-lhe um pouco de seu calor, e o pequeno a acariciava de vez em quando, sentindo certo consolo com a proximidade do fiel animal.

Quando viu que sua mãe abria os olhos, ao cabo de um momento, aproximou-se mais.

— Dormiu bem, mamãe? Está melhor?

— Não dormi, mas me sinto menos fatigada. Aproxime-se o mais que puder, filho, para que não tenha que levantar a voz.

Desditoso assim o fez, e ela continuou dizendo:

— Tenho de acabar de lhe dizer o que deve fazer se, realmente, Deus... dispuser que nos separemos.

Levantou-se um pouco, penosamente, voltou-se para as pedras que faziam as vezes de cabeceira de seu tosco leito, e de uma rachadura que se via na mesma, tirou um anel, que havia deixado ali, envolto em uma folha que o tempo havia secado.

— Está vendo este anel? É um presente que seu pai me deu.

— Meu pai? — exclamou o menino, muito interessado. — Deixe-me vê-lo bem. Já vi muitas coisas que nos presenteou o Pai Celestial, tais como o sol, a lua, as estrelas, as flores, os frutos... mas nunca vi nada de meu pai da Terra.

Genoveva, vivamente emocionada pelas recordações que aquela joia lhe trazia, a entregou ao menino, que a tomou com cuidado, contemplando-a prazerosamente, e exclamando logo:

— Como é linda! Meu pai tem outras coisas parecidas com esta?

— Sim, filho.

— Será que irá me dar algo assim?

— Certamente, querido.

O pequeno devolveu o anel a Genoveva, a qual o levou a seus pálidos lábios para beijá-lo. Depois, com a mão trêmula, o colocou em um de seus dedos, e depois de suspirar profundamente, seguiu dizendo a seu filho:

— Escute bem o que vou lhe dizer, meu pequeno. Quando eu tiver morrido, o que temo ser logo, pegue este anel, que desejo levar comigo nos últimos momentos, como prova da fidelidade que sempre guardei a seu pai, ainda que o fizessem acreditar no contrário.

O menino, novamente sério, a escutava.

— O amor que senti para meu esposo foi tão puro como o ouro deste anel, meu filho, fique certo disso, apesar de que alguma vez possa escutar dizer ao contrário. E posso lhe jurar que minha fidelidade foi tão infinita quanto ele é redondo, a qual, por não ter princípio, nem fim, é a fiel imagem da eternidade.

Depois de haver pronunciado tais palavras em um tom veemente, Genoveva se sentiu fatigada e teve que fazer uma pausa. Mas não querendo se demorar mais naquelas explicações, seguiu dizendo:

— Guarde bem as instruções que lhe dei para sair deste lugar e chegar ao local onde habitam os homens. E uma vez chegando lá, pergunte ao primeiro que encontrar pelo conde Sigfrid, que é o nome de seu pai.

— Sigfrid — repetiu o menino, para retê-lo na memória.

— Exatamente. Se aquele a quem se dirigir, falar que sabe quem é ele, peça-lhe que o leve até sua presença. Mas não lhe diga quem é você, e nem de onde vem!

Havia se exaltado um pouco ao pronunciar estas palavras, e a criança se impressionou um pouco.

— Não devo dizer... que sou seu filho?

— Não. A ninguém. E tampouco não mostre a ninguém o anel. Guarde-o bem e entregue-o somente a seu pai, quando estiver em sua presença. Com todo respeito e afeto lhe dirá: "Meu pai, minha mãe, Genoveva, que morreu, me deu este anel dizendo que eu o trouxesse, para que você soubesse que sou seu verdadeiro filho. Antes de morrer, me encarregou de lhe trazer seu último adeus, e pediu que repetisse, em seu nome, que morria inocente e que o perdoava por completo por tudo quanto a fez sofrer, pois sabia que tinha sido enganado".

Fez uma pausa, durante a qual *Desditoso* foi repetindo aquelas palavras em seu íntimo, para não esquecê-las nunca. E prestou atenção novamente ao ver que sua mãe seguia dizendo:

— Diga-lhe também que já que não tive a felicidade de voltar a vê-lo neste mundo, espero voltar a vê-lo na eternidade. Diga-lhe que não chore por mim, nem se desespere pensando em meus sofrimentos, pois eu morri contente, pensando que ele será sempre bom com todos e cuidará muito de você. Irá lembrar de tudo isto, meu filho?

— Sim, mamãe. Repetirei tudo várias vezes, e assim não esquecerei.

Ela permaneceu alguns momentos em emocionado silêncio, enquanto as lágrimas corriam por sua face, e logo, fazendo um esforço para que sua voz soasse firme, acrescentou:

— E acima de tudo, meu filho, não se esqueça de dizer-lhe que sempre lhe fui fiel, que nem uma sombra de traição passou por mim, e que assim eu lhe jurei pouco antes de morrer. Prometa-me que irá repetir com fidelidade tudo quanto eu lhe disse!

— Prometo, mamãe, não sofra.

— Conte-lhe também tudo o que fizemos neste lugar; como foi nossa vida durante estes sete anos. E diga-lhe que venha buscar meus restos nesta gruta para guardá-los no panteão de meus antepassados, pois sempre fui digna desta honra, ainda que pessoas vis me tenham caluniado de um modo tão atroz.

Calou-se de novo, cada vez mais fatigada; mas logo continuou, com voz quebrada pelo supremo esforço:

— Devo lhe dizer algo mais, todavia, meu filho, antes que Deus me leve consigo. Agora já sabe que tem um pai e uma mãe. Mas o que ignoras ainda é que eu também os tenho. Meu Deus! Talvez nem estejam vivos ainda! O quanto devem ter sofrido ao se inteirarem de minha sorte! Estou certa de que não acreditaram em minha traição, mas há anos me julgam morta, e este sofrimento... ainda que talvez o Senhor lhes tenha ajudado a sobreviver a estes infortúnios e sigam ainda com vida e saúde. Se for assim, peça a seu pai que lhe leve à sua presença.

— À presença de... seus pais? E como devo chamá-los?

— Avós. Você é seu neto. Que alegria terão, se ainda vivem e puderem lhe ver! Talvez isto lhes compense um pouco sua grande dor. Não devem ter me esquecido nem um momento, sua pobre Genoveva, à qual supõem degolada pelo machado de um verdugo...

Ao considerar o sofrimento de seus queridos pais, Genoveva não pôde conter os soluços. Vinha-lhe à mente os anos felizes que passara em sua companhia, a vida plácida, alegre e honestamente feliz que tivera junto a eles. Tão dolorosas recordações e seu estado enfermiço a prenderam em uma espécie de delírio, e foi com uma grande exaltação que exclamou:

— Pobres dos meus pais! O quanto devem ter padecido por sua pobre filha! Você, querida mãe, que é tão sensível e tanto lamentou minha partida, quantas lágrimas derramou pensando em minha triste sina! Se agora pudesse tê-la junto a mim, contemplar seu rosto, apertar suas mãos, morreria mais tranquila. Se soubesse que estou viva, correria para meu lado, sem se importar com a fadiga, para me socorrer... mas ela pensa que meu cadáver jaz, reduzido a pó há muito tempo, em um rincão deste deserto...

Novamente os soluços afogaram suas palavras, causando espanto ao pobre *Desditoso*, que a encarava com olhos arregalados, sem poder sequer despregar os lábios. Tremia de medo ao vê-la naquele estado. Então, a escutou seguir dizendo:

— Só o que me anima e consola é pensar que voltaremos a nos ver, um dia, na eternidade. Se não tivesse esta confiança, o desespero me dominaria, me fazendo enlouquecer...

Escutou então os soluços de seu filhinho, que por fim havia rompido em choro, e voltando para ele seus olhos, lamentando ter-lhe entristecido, o puxou para si amorosamente, dizendo:

— Não chore nem se desespere, meu filho... não se entristeça ao pensar que logo irá me perder. Deus irá compensá-lo disto, lhe dando um pai bondoso, que cuidará de você e lhe fará um homem destemido. Qual era a vida que lhe aguardava aqui? Lá não sentirá nunca frio, nem terá de se preocupar pelo alimento.

Tentava pintar com belas cores o futuro, para que não sofresse, mas as lágrimas do menino seguiam brotando, pois nada do que lhe explicava o seduzia, ao pensar que ela não estaria a seu lado para gozar de tudo aquilo com ele.

— Seque suas lágrimas, eu lhe peço, filhinho — suplicou Genoveva. — Seu pranto me entristece mais que todos os meus sofrimentos. E não tema nada. Seu pai o protegerá contra tudo. Falará de mim e me recordará com ternura. Ele o amará, como eu lhe amo agora, de modo que não sentirá falta de meu carinho; e ele lhe dará, além disso, muitas coisas que eu jamais pude lhe dar.

14
ÚLTIMOS ENSINAMENTOS

O intenso frio daquele terrível inverno começou a minguar e o vento começou a ficar mais fraco e agradável. Ao meio-dia, os raios do sol, que eram também mais cálidos, penetravam até o interior da gruta, iluminando-a gratamente e aquecendo a atmosfera do úmido recinto.

A neve começava a derreter, caindo das árvores, convertida em água, que finalmente o sol acabaria por secar. Tudo parecia, pois, propício para que os ânimos se reanimassem, mas na pobre Genoveva a mudança do tempo não influía beneficamente.

Em lugar de melhorar, piorava cada vez mais, e chegou um momento no qual achou que realmente chegava ao limite de sua vida terrena. Foi então que pensou, sem se sobrepor à angústia que a dominava:

— Sou uma desgraçada ao não poder ter sequer junto a mim, nestes momentos supremos, um sacerdote que me ajude a morrer e entrar na eternidade.

Não obstante, algo havia em seu interior que a confortava, pois em seguida pensou:

— No entanto, o Senhor, meu Deus, que é o Supremo Sacerdote, está junto a mim, pois nunca abandona àqueles que em suas desgraças apelam a seu favor. Todo ser que padece e deposita sua confiança em você, não pode se ver abandonado. Não lhe faltam nunca Sua companhia nem Seus consolos interiores.

Um pouco mais tranquila com tais pensamentos, seguiu rezando interiormente, encontrando nisso um grande alívio. Permanecia quieta, com as mãos cruzadas sobre o peito, e *Desditoso* não fazia nada além de observá-la, sempre temeroso de que aquela imobilidade fosse a da morte.

O pobre menino nem se preocupava em comer ou beber, tão angustiado estava, e era Genoveva quem, apesar de sua enfermidade, tinha que instigá-lo para que ele o fizesse. A fim de agradá-la, ele comia um pouco, mas logo voltava para atendê-la em tudo que lhe fosse possível. Cuidadosamente, recolhia do leito de musgo os pedaços mais secos, com os quais tratava de abrigá-la, coisa que desde logo, e apesar de sua boa vontade, resultava totalmente insuficiente. Logo punha nas pontas dos pés e tentava enxugar as gotas de água que as úmidas paredes destilavam, para que estas não fossem cair sobre sua pobre mãe.

Às vezes, saía em busca de água do manancial, que trazia em uma das tigelas feitas com abóboras e aproximando-a de seus lábios ressecados, lhe dizia carinhosamente:

— Bebe um pouco de água, mamãe. Isso irá lhe fazer bem, porque está com os lábios secos. Quando me beijou, eu notei isso.

Em outras ocasiões, colocava o leite da cerva em uma tigela e a acercava dos lábios da pobre mulher, pedindo:

— Tome um pouco deste leite tão saboroso. Eu mesmo ordenhei a cerva e até parece que ela está contente de poder lhe proporcionar isto.

A doente se sentia confortada com tais solicitudes, pois elas lhe demonstravam que seu filho era generoso e agradecido, dando-lhe provas, além disso, de uma maturidade imprópria a seus poucos anos. Efetivamente, o pequeno ainda que sentisse profundamente o sofrimento de sua mãe e experimentasse um verdadeiro pânico ao pensar que podia ficar sem ela, tentava ocultar seu temor e sua dor para não preocupá-la mais.

Ainda que houvesse momentos nos quais não lhe era possível dissimular o desespero que com frequência lhe embargava quando Genoveva tinha uma daquelas crises, em que parecia quase morrer, não podia suportar por mais tempo sua angústia e rompia em soluços, lançando-se ao pescoço de sua mãe e exclamando:

— Oh, mamãe! Queria que fosse eu quem estivesse enfermo. Desejaria morrer, para que você seguisse vivendo.

— Não diga isso, meu filho. Você tem que viver. O Senhor dispôs assim, e não devemos nos rebelar ante suas ordens.

Durante toda a enfermidade quis ter perto a cruz que ela mesma havia feito com um galho, e então a apertou contra seu peito com todas as forças que lhe restavam, murmurando:

— Meu Jesus, dai-me forças ainda para que possa dizer a meu filho tudo o que desejo. Conceda-me ainda um pouco mais de vida. Quero explicar-lhe algumas coisas acerca do Senhor, para que lhe sirvam de exemplo.

Pareceu que em resposta àquela suplica, seu mal-estar minguara, e sentiu-se mais confortada e tranquila. Um doce torpor a invadiu, e ela caiu em um plácido sono. Durante o mesmo, a cruz que tinha entre as mãos se desprendeu delas, caindo sobre o musgo.

Quando despertou, notou que se sentia melhor e suspirou com alívio, pensando que Jesus atendera a suas preces. Procurou logo a cruz, para levá-la a seus lábios, mas não a encontrou.

Desditoso, que estava bem perto, vigiando seu sono, aproximou-se rapidamente ao vê-la ansiosa.

— O que foi, mamãe? Não dormiu bem?

— Sim, filho, muito bem... melhor do que esperava.

— Então, o que foi? Por que se levantou assim? O que está procurando?

— A cruz feita com galhos que tinha nas mãos ontem à noite, antes de dormir... A criança havia começado a buscar pelo musgo e não demorou em achá-la.

— É isto o que quer, não é?

— Sim, filhinho. — Seus pálidos lábios se entreabriram em um sorriso agradecido ao fixar os olhos na tosca cruz. E tomando-a em suas trêmulas mãos, murmurou: — Obrigada Jesus, por este consolo...

O pequeno a contemplava intrigado. Muitas vezes lhe haviam chamado a atenção aquele par de galhos atados com tiras de cortiça, mas jamais lhe perguntou nada, pois seu cérebro ia despertando pouco a pouco e desejava saber o porquê das coisas.

Agora, no entanto, sentando-se junto a ela, lhe perguntou:

— Escute, mamãe, o que são estes galhos atados assim? Por que antes se ajoelhava diante deles, quando estavam naquele oco, e agora quer tê-los sempre nas mãos e os aperta contra o peito, como se os considerasse muito?

— E eu os considero, filhinho — replicou Genoveva, — e já pensava em explicar-lhe, mais adiante, seu significado. Não pensei que iria morrer tão logo, pois de outro modo o teria feito antes, ainda que não parecesse ser tempo ainda de que o aprendesse.

Compreendendo que se tratava de um assunto muito interessante, o menino se acomodou melhor, dispondo-se a escutar com toda a atenção. E escutou o que sua mãe seguia dizendo:

— Já lhe expliquei que Deus, de quem tantas vezes falei, tem um filho, não é?

— Sim. E me disse que uma vez Ele veio a este mundo, tendo por nome Jesus. Mas não disse mais nada.

— Porque achei que não compreenderia. Talvez agora ainda não entenda tudo, mas não posso esperar mais para dizer-lhe, e quero que saiba antes de partir deste mundo. Olhe, filhinho, você já sabe, pois, que esse filho de Deus se chamou Jesus e que veio a este mundo. Agora vou lhe dizer o que Ele fez por nós. Já está mais preparado para saber, agora que sabe da existência de muitos seres humanos e sabe também qual é a conduta de muitos deles.

— Refere-se aos... maus, a esses que ofendem a Deus e não querem bem a seus irmãos?

— Sim, pequeno, pois foi por sua causa que Jesus padeceu. Também já sabe agora o significado da morte, e por tudo isto, lhe será mais fácil entender o que vou explicar e compreender melhor o que significam estes dois galhos atados em forma de cruz, que tanto lhe chamaram a atenção.

— Antes... não havia me fixado muito nisto, mas agora noto que você sempre os tem nas mãos e reza com eles, e por isso gostaria saber o que representam.

— Pois já vai ficar sabendo, e se Deus me der forças, eu o instruirei tanto quanto possível a respeito disto, pois será seu guia no mundo. Você verá, filho. Sabe, pelo que lhe contei, que Deus é infinitamente bom e que quer muito a todos os seres que criou. Mas a humanidade nunca correspondeu a Seu amor como deveria fazê-lo, e em certa ocasião, muito aflito por este motivo, enviou ao mundo a Seu filho muito amado, para que, com sua sublime doutrina, lograsse que os homens fossem melhores.

— E esse filho de Deus que veio ao mundo era chamado Jesus, não é?

— Exatamente. E quando Ele chegou na Terra, tomou o aspecto de uma criança, muito parecido com você, quando nasceu. E creio que o consolará saber que viveu também em uma gruta, parecida com a nossa, com sua mãe, a Virgem Santíssima.

— Oh! — exclamou a criança, gratamente surpresa. — E havia também uma cerva em sua gruta?

— Não, mas servia de refúgio a outros tipos de animais.

— E por que o Pai do Céu o fez nascer ali?

— Para dar a todos o exemplo da humildade. Mas Ele viveu em outros lugares, e foi crescendo até ser como você, e depois mais e mais, até que chegou a ter mais idade que eu mesma... então se retirou para um deserto.

— Como este nosso?

— Mais solitário ainda, pois aqui estamos nós dois e nos fazemos companhia, e ali Ele estava sozinho, meditando e rezando. Ficou ali por quarenta dias, preparando-se para ir ensinar aos homens a doutrina que seu Pai lhe havia encarregado de fazer com que se conhecessem. Então se apresentou a eles para recordar-lhes que todos eram filhos do mesmo Pai Celestial, como Ele, e por conseguinte, irmãos.

Desditoso escutava com muita atenção, pois apesar de sua pouca idade estava já tão instruído por sua mãe acerca das coisas divinas, ainda que fosse em seu aspecto mais singelo, que não lhe custava tanto compreendê-lo como talvez tivesse custado a outros. E Genoveva seguia explicando:

— Ele lhes disse que Deus O havia enviado para ensiná-los a serem melhores, a amar mais a Ele e a seu próximo. E acrescentava: "Aquele que escutar minhas palavras e se corrigir, entrando assim no caminho do Senhor, será logo admitido no céu, onde gozará infinitamente. Mas aquele que não atender ao meu chamado, não se reunirá depois Comigo, e em lugar de ir ao Céu, será lançado a um lugar terrível, onde sofrerá muito".

Ainda que Genoveva tentasse explicar a seu filho o Evangelho tal como a ela lhe haviam ensinado, às vezes trocava uma ou outra palavra, a fim de explicar de um modo mais direto tal ensinamento na mente de seu pequenino.

E assim seguiu dizendo, notando que uma força interior a ajudava em seu empenho.

— Os homens o escutavam, mas não faziam muito caso d´Ele. Não queriam acreditar que fosse um enviado de Deus, pois sabiam que havia nascido em uma gruta e lhes parecia que um filho privilegiado do Senhor teria que ter visto a primeira luz em um palácio. Os seres humanos são tão ignorantes no que diz respeito às coisas mais elevadas, meu filho, que acreditam que o melhor deve vir envolto em luxos, e desdenham com frequência dos humildes, ainda que estes guardem em seu interior muitas coisas de valor espiritual, porque estão cegos pelas aparências. Assim fizeram aqueles com Jesus. Não podiam acusá-lo de nada, pois tudo o que fazia era bom, e Ele se mostrava doce e generoso com todos, mas não acreditaram que fosse o salvador.

Genoveva fez uma pausa, durante a qual estreitou mais entre suas mãos a tosca cruz que tanto a confortava. Então, prosseguiu:

— Então, Jesus fez muitos milagres, para que acreditassem que tinha um poder sobrenatural e seguissem sua doutrina, que era a que o Pai queria que se espalhasse.

— O que são milagres, mamãe? — inquiriu *Desditoso*, cada vez mais interessado naquele singular relato.

— Um milagre é um feito sobrenatural, que não tem explicação lógica. Uma coisa extraordinária, que nenhum homem poderia fazer se não tivesse um poder divino. Vou dar-lhe um exemplo. Havia, em uma ocasião, uma mulher que estava doente, como eu estou agora. Ninguém conseguiu curá-la. Os médicos, que são umas pessoas que estudaram muito e conhecem remédios para curar, diziam que nada podiam fazer por ela. Mas Jesus, só tomando-lhe as mãos, como eu agora faço com você, a curou por completo.

— Oh! Tão depressa? Sem dar-lhe nada?

— Nada. Só com o divino poder que o Pai Celestial lhe havia outorgado. E fez ainda outros milagres maiores, pois esta mulher da qual lhe falei estava viva, e o caso que vou relatar agora trata de uma criança, mais velha que você, que já havia morrido quando Jesus o viu. Sua mãe não tinha outro filho além dele, e pode-se imaginar qual seria seu desespero. A pobrezinha chorava tanto, que Jesus se enterneceu ao vê-la, e aproximando-se dela lhe disse com voz muito terna: "Não chore". Então se aproximou do lugar onde jazia a criança e lhe ordenou: "Levanta!". E a criança, a qual já levavam para enterrar, se levantou, com enorme assombro de todos, pois havia voltado à vida.

— Como deve ter ficado contente sua pobre mamãe! E todo mundo presenciou isto?

— Sim. Sempre havia muitas pessoas em torno de Jesus quando Ele operava os milagres.

— E apesar disto, não acreditavam n'Ele?

— Alguns, sim, mas a maioria, não. Quando falava aos que estavam ao seu redor, Jesus lhes lançava na cara seus defeitos, para que se corrigissem, mas aqueles que são orgulhosos não gostam que se lhes façam notar suas faltas, e em lugar de ficarem agradecidos por isso, se irritavam e lhe tinham rancor. E sabe o que fizeram por fim com Ele, que só desejava o bem de todos?

— O que, mamãe? — perguntou o pequeno, com o cenho franzido, já adivinhando que lhe haviam feito uma maldade, tal era a tristeza que expressava naquele momento o pálido rosto de sua mãe.

— Pois construíram uma cruz, no mesmo formato desta que agora tenho nas mãos, mas muito maior. Assim como eu usei galhos para construí-la, eles usaram grandes troncos, aos quais deram este formato. E então, levantando-a em um monte chamado Calvário e colocando-a no solo, como se fosse uma árvore, cravaram Jesus nela pelas mãos e pelos pés, e ali morreu o Pobrezinho...

O espanto e a indignação começaram a inundar *Desditoso*, que parecia estar vendo o corpo daquele homem vertendo sangue pelas mãos e pelos pés, pois apesar de sua pouca idade, sua inteligência e imaginação eram muito vivas. E foi com olhos muito abertos que escutou Genoveva seguir dizendo:

— Além de feri-lo, seus verdugos se riam d´Ele, e quando na agonia pediu um pouco de água para refrescar seus ressequidos lábios, deram-lhe uma esponja empapada em vinagre e fel, duas coisas que têm um gosto muito amargo. Percebe... Ele sempre havia feito o bem a todos e deste modo lhe pagavam.

Desditoso, sem poder mais conter sua indignação, exclamou com os punhos cerrados:

— Como os homens são maus! Por que Deus lhes permitiu fazer tudo isto? Se eu fosse Deus, teria matado a todos!

— Acalme-se, meu filho, e não se deixe levar pela ira. Pois um dos ensinamentos de Jesus foi este, e Ele mesmo o praticou, mesmo quando estava sofrendo aquele grande tormento. Parece que Ele tinha que estar irado com aqueles que tão mal o tratavam, não é? Pois em lugar de queixar-se, rogava a Deus por seus verdugos, dizendo: "Pai, perdoai-os, pois não sabem o que fazem".

A criança conteve sua raiva, mas uma grande tristeza o invadiu, e enquanto seguia escutando sua mãe, seus olhos se encheram de lágrimas e pouco depois estas escorriam por sua face.

— Isso lhe dará a maior prova do que foi o Seu amor por nós — continuava dizendo Genoveva. — Mesmo sofrendo aquela tortura, seguia amando os mesmos que lhe martirizavam e rogando ao Pai por eles. Não fazia distinção entre bons e maus. Veio ao mundo por todos, e por todos morreu, pois esta era sua missão.

— Mas, por que tinha que sofrer tanto e morrer? — balbuciou o menino, com a voz quebrada pelas lágrimas.

— Porque era necessário que assim fosse para que se consumasse a obra da redenção. Se não fosse assim, ninguém poderia entrar no céu, nem mesmo nós. Por isso é que quis lhe explicar esta história, meu filho, para que queiras sempre a Jesus, e aprenda logo todos os seus outros ensinamentos, que lhe servirão no caminho da vida.

O pequeno não pôde responder porque as lágrimas corriam livremente de seus olhos, expressando a grande emoção que a triste história havia produzido nele.

Sua mãe nada lhe disse. Sempre sofria ao vê-lo chorar, ainda que ele o fizesse raramente. Mas este choro a encheu de alegria, por demonstrar que a história de Cristo, apesar de ter sido pobremente relatada, havia chegado ao mais fundo do seu ser, e era isso o que ela mais desejava.

Deixou que ele se acalmasse, e quando ele ficou mais sereno, o escutou dizer:

— Como era bom Jesus, perdoando até aos que lhe fizeram tanto dano! Mas agora deve estar no céu, não é?

— Claro que sim! Quando morreu, alguns homens bons o retiraram da cruz e colocaram no regaço de sua mãe, que havia permanecido ao pé da mesma. Depois colocaram-no numa mortalha, depositando-o em uma espécie de gruta, parecida com esta gruta nossa, pois estava escavada na rocha. Então fecharam a abertura com uma grande pedra e partiram.

— Deviam estar muito tristes.

— Sim, mas sua tristeza não durou muito, porque algo aconteceu logo depois!

O menino, cujo pranto já havia cedido, sentiu crescer seu interesse, pois pressentia que agora chegava a parte brilhante, gloriosa do relato. E sua mãe continuou assim:

— Haviam deixado a gruta, que era seu sepulcro, bem coberta, como lhe disse. Mas Jesus, com a graça que o Pai lhe havia dado, tinha um grande poder, Ele ressuscitou no terceiro dia, saindo do sepulcro.

— Voltou a viver, como aquela criança que Ele havia encontrado morta?

— Exato. Então se apresentou àqueles que o haviam amado e que não eram maus como os demais. Ele os chamava de discípulos, porque haviam aprendido sua doutrina e faziam o que Ele lhes indicava. Quando o viram padecer e morrer, sofreram muito, mas depois, imagine qual não foi sua alegria ao vê-lo ressuscitado! Acreditaram, naquele momento, que seguiriam a seu lado, mas Ele lhes disse que não podia fazê-lo, pois tinha que se reunir a seu Pai Celestial. E ao ver que se entristeciam, Ele lhes falou assim: "Não chorem nem angustiem seus corações por minha causa. Lá onde mora meu Pai e onde eu tenho um lugar, há também um lugar para cada um de vocês, que Eu vou preparar. Enquanto isso, sigam fazendo o que Eu lhes mandei, a fim de que depois possam vir a se reunir comigo. Então voltaremos a nos ver e seu gozo será comprido e ninguém o arrebatará de vocês. Não os deixarei por completo, pois, ainda que invisível, sempre estarei entre vocês". Ditas estas palavras, Ele lhes deu sua bênção e ascendeu ao céu, envolto em uma luz maravilhosa.

O pequeno havia escutado com êxtase a última parte do prodigioso relato e quase parecia estar vendo aquela luz resplendente, apesar da pouca luz que penetrava na gruta. Então, suspirando, exclamou:

— Teria gostado muito de ver tudo isto! Principalmente quando Ele subiu aos céus...

Permaneceu pensativo durante alguns momentos e então inquiriu:

— Diga-me, mamãe, Jesus sabe que estamos neste lugar tão afastado? Pode nos ver e escutar?

— Claro que sim, meu filho. Ele não só nos vê, mas também nos segue amando muito e nos ajuda, instruindo-nos desde o interior para que cada vez sejamos melhores.

— E eu sou bom, mamãe?

— Sim, e estou satisfeita com você, mas isso ainda não é o bastante. Irá se deparar com muitas batalhas no transcurso de sua vida, e então terá que demonstrar sua fortaleza e bondade. Não basta ser bom, meu filho. É preciso que nos esforcemos por alcançar a perfeição. Isto exige muito de nós, pois temos de lutar muitas vezes. Há pouco, por exemplo, quando lhe contava o martírio de Jesus, ao falar de seus verdugos, você ficou furioso. Se fosse você o condenado àquela horrível morte, acho que não teria intercedido pelos seus verdugos, como fez Jesus, não é?

— Acho... que não. Por isso disse que, se eu fosse Deus, os teria matado. Eles mereciam!

— Tendo só em conta a justiça, sim. Jesus veio precisamente instaurar a doutrina da misericórdia, que consiste em fazer o bem mesmo aos que nos causam dano. Isso é o que deve aprender também, meu pequeno, antes que possa se considerar seguidor da doutrina do Filho de Deus. Devemos imitá-Lo sempre, tomando-O como modelo, se queremos ser dignos de seu amor, assim como da estimação do Pai Celestial. Somente deste modo poderemos entrar no céu. Foi para nos dar forças com seu exemplo que Jesus veio ao mundo e morreu na cruz. Compreende agora por que fiz esta cruz com galhos e agora em minha enfermidade a tenho sempre comigo?

— Sim mamãe, estou aprendendo. Tendo-a ao seu lado, recorda-se de Jesus, não é?

— Isso mesmo, meu filho, e me faz ter presente que também nós, por meio da bondade, da abnegação e do sacrifício, se for preciso, podemos alcançar um lugar na glória. É esta a missão que tem este símbolo de valor inestimável.

Genoveva estava fatigada de tanto falar, mas como ainda não havia terminado de dar a seu filho as instruções que considerava necessárias, fez uma pausa e logo seguiu dizendo:

— Escute ainda, com muita atenção, filhinho, pois creio que muito pouco mais poderei lhe falar. Sabe que nada tenho, e, portanto, nada posso lhe deixar.

Só o que possuo agora é esta singela cruz, que quero ter entre minhas mãos até que exale o último suspiro. Quando morrer, tire-a de minhas mãos e a guarde durante toda a sua vida. Devido à sua nobre linhagem, gozará de uma brilhante posição quando se encontrar no castelo de seu pai, mas peço-lhe que nunca negligencie esta tosca cruz feita pelas mãos de sua mãe. Não a guarde tampouco em algum lugar onde não possa tê-la presente. Coloque-a no lugar mais visível de sua luxuosa mansão, para que possa recordar-se sempre daquele ser tão generoso que morreu por você. E ao olhá-la, pense em sua mãe, que a teve nas mãos ao morrer.

A criança, temerosa e entristecida ao pensar que logo aquela voz ia se apagar para sempre, não ousava pronunciar uma só palavra. E foi com reverente silêncio que escutou sua mãe dizer:

— Se fizer o que digo, não poderá ser ruim, pois o exemplo de Jesus o impedirá. Não deixe jamais de ser humilde, apesar da grandeza que irá lhe rodear, e se conserve sempre piedoso, pois o que mais nos aproxima de Deus é a devoção; ame aos homens e faça-lhes todo o bem possível, ainda que em alguns momentos não lhe sejam agradáveis por causa de seu comportamento. Seja justo, mas não esqueça a misericórdia, pois isso é o que Jesus nos ensinou. E se assim agir, graças a ter diante de seus olhos esta cruz, esta herança simples que lhe deixo será mais proveitosa que todos os luxos e comodidades de que possa lhe rodear seu pai.

Depois desta extensa explicação, Genoveva ficou tão fatigada que teve que descansar. Fechou os olhos, que se negavam a permanecer abertos, mas estendeu a mão para *Desditoso*, para que ele não se assustasse, acreditando haver chegado seu fim. Ele a tomou, impressionado por todas as suas palavras, repetindo-as mentalmente para gravá-las bem, e silenciosamente, para não perturbar o repouso da doente, esperou.

***

Não teve que aguardar muito, pois na realidade, Genoveva não dormiu. Só permaneceu quieta durante um momento para recolher algumas forças que lhe permitissem acabar de dizer-lhe o que desejava. Abriu os olhos de novo, lentamente, e fixou suas cansadas pupilas azuis no filho, que lhe sorriu ligeiramente dissimulando sua tristeza, para animá-la. E prosseguiu dizendo:

— Rogo a Deus que possa chegar até seu pai sem encontrar obstáculos. O caminho não é muito longo, mas é difícil, especialmente para um menino como você. Terá que atravessar desertos inóspitos, intrincados bosques, profundos precipícios e abismos perigosos. Mas não tema, meu filho. Deus o protegerá, fazendo-o chegar até lá são e salvo, como ajuda e protege a todos nos intrincados caminhos desta vida, para que possamos chegar um dia à Sua própria casa, que é o céu.

Não esquecendo, em seu zelo maternal, o aspecto prático do caso, lhe recomendo então:

— Antes de partir, lembre-se de preparar várias abóboras cheias de leite, pois é possível que em alguns locais não encontre água para matar sua sede. Pegue também o cajado que eu usava, para enfrentar algum destes animais que andam pelos bosques...

Ao notar em seu filhinho uma reação de temor, se apressou a acrescentar:

— Mas não tenha medo. Sei que é pequeno e fraco, mas eu também sempre o fui, e como você viu, eu pude vencer um grande lobo. Deus dá forças e valor no momento preciso, e, além disso, talvez não encontre nenhuma fera, pois recorde que aqui vivemos vários anos sem que se aproximasse nenhuma. O Senhor vela sempre, pequeno, e n'Ele encontraremos em todo momento a mais eficaz proteção. Quem deposita em Deus toda a sua confiança, não deve temer nada.

Pouco depois, Genoveva sentiu-se pior. Um desfalecimento imenso apoderou-se dela e teve a impressão de que a vida escapava de seus membros. Voltou seus olhos turvados para *Desditoso* e murmurou ansiosamente:

— Meu filho...

O menino, compreendendo o que ela desejava, se aproximou e inclinou-se para ela, comovido.

— Diga, mamãe...

— Creio que chegou minha última hora — replicou ela a meia voz. — Sinto-me morrer. Ajoelhe-se para que eu possa lhe dar minha bênção. Minha pobre mãe também me deu a sua, quando me separei dela...

Desditoso, tratando de conter os tristes soluços, ajoelhou-se sobre o musgo, notando que suas pernas tremiam. Cruzou as mãozinhas e inclinou humildemente a cabeça enquanto as lágrimas escapavam de seus olhos e rolavam por suas bochechas.

Genoveva, levantando as mãos com dificuldade, as colocou sobre a cabeça de *Desditoso*, e com voz entrecortada disse:

— Meu filho, eu o abençoo em nome do Pai, do Filho e do Espírito Santo. Deus lhe proteja e bendiga. Iremos nos encontrar no céu.

Levantando-se penosamente, abraçou com todas as forças que seu débil estado lhe permitia a seu querido filho, enchendo-o de febris beijos. Então, deixando-se cair novamente sobre o musgo, exausta, murmurou:

— Quando estiver entre os homens, não se contagie com seus vícios e defeitos. Fuja dos maus exemplos que eles possam lhe dar. O que lhe espera é uma vida de riquezas e honras. Tenha em mente o que antes já lhe disse. Que essa nova existência não lhe faça esquecer os princípios que lhe ensinei. Lembre-se que, se algum dia esquecer minhas palavras e conselhos e se deixar arrastar pelo mal, não entrará nunca no reino dos céus. Você me ama e deseja voltar a ver-me outra vez, não é? Pois pense que só poderá fazê-lo seguindo o caminho da virtude. Não o deixe nunca, pois somente esta trilha poderá levá-lo até a verdadeira felicidade!

Não pôde pronunciar mais nenhuma palavra. O desfalecimento apoderou-se totalmente dela, fechou os olhos, e ao perder os sentidos, sua cabeça, que ainda permanecia um pouco erguida, caiu sobre o leito de musgo.

Desditoso não soube o que pensar então. Isto já havia ocorrido outras vezes, e ela logo voltava a abrir os olhos e lhe falar novamente. Mas agora, há pouco, disse que se sentia morrer. Havia lhe dado sua bênção, como se aquela fosse, de fato, a última vez que pudesse falar-lhe.

Por isso, repentinamente, sentindo-se já órfão, *Desditoso* prorrompeu em amargo pranto, enquanto repetia sem parar:

— Meu Deus! Não permita que tenha morrido! E se for assim, ressuscite-a, Senhor!

15
O CONDE CHORA O SEU ERRO

Agora voltemos atrás no relato, a fim de explicar a reação que teve o conde Sigfrid quando recebeu a carta de Golo na qual este acusava a sua esposa Genoveva de infidelidade. Ele havia sido ferido no campo de batalha, e por isso se encontrava então retirado momentaneamente da contenda, em uma tenda de campanha, curando suas feridas.

Foi tal a cólera que despertou nele — que era um homem bom, mas de temperamento fogoso e impulsivo — a notícia da gravíssima falta de sua esposa, que naquele momento pensou ser verdadeira, sem parar sequer para refletir, impulsionado por aquela fúria tremenda que o dominava e acreditando cegamente no hipócrita Golo, que soube captar sua confiança, assinou imediatamente a sentença de Genoveva, enviando-a ao castelo pelo mesmo emissário que lhe trouxera a missiva de Golo.

O escudeiro de Sigfrid, cujo nome era Wolf, não só ocupava tal cargo perto dele, mas também, além de cumprir com as obrigações do mesmo, sentia grande apreço pelo conde, que o considerava como um verdadeiro amigo. Eram antigos companheiros de armas e Sigfrid tinha nele um conselheiro insubstituível nos momentos difíceis.

Quando a fatídica carta do malvado Golo chegou, ele se encontrava a muitas léguas do acampamento onde estava Sigfrid, mas ao regressar, a primeira coisa que fez foi entrar na tenda do conde para inteirar-se do estado de saúde de seu senhor e amigo.

Encontrou Sigfrid muito melhor de suas feridas, mas com outra ferida moral muito mais dolorosa. A crença na infidelidade de sua esposa, à qual tanto amava, o havia deixado sumamente abatido, pois nunca havia esperado tal comportamento daquela jovem que sempre lhe parecera tão nobre e pura. E o fato de ter sido ele mesmo a assinar sua pena de morte o angustiava de tal modo, agora que já haviam passado os ardores momentâneos que a inesperada notícia lhe causara, que assim que viu seu fiel amigo, relatou-lhe o infausto caso.

Depois de escutá-lo, o fiel escudeiro, empalidecendo notavelmente, espantado ante o que o escutava, não pôde evitar de exclamar:

— Que erro terrível cometeu, senhor! Estou certo de que sua esposa, nossa muito amada senhora Genoveva, é inocente deste delito. Estou tão seguro disso, que cortaria minha cabeça para defendê-la. Não se dá conta de que é impossível que se perverta em tão pouco tempo uma alma tão angelical como a de sua esposa? O que ocorre, e perdoe-me que lhe diga, senhor, é que seu intendente, Golo, a quem nunca estimei, é um miserável.

Ao escutar tal afirmação, Sigfrid não pôde deixar de protestar. A venda ainda não havia caído de seus olhos e seguia confiando plenamente nele. Mas Wolf seguiu dizendo, implacavelmente, seguro do que afirmava:

— Sim, eu sei que às custas de lisonjas e adulações conquistou sua confiança. É muito esperto nestes assuntos, como muitas vezes comprovei. Desculpe-me, senhor, a franqueza com que falo, mas agora, mais que escudeiro e servidor, me sinto o amigo leal em quem sempre confiou. Eu digo a verdade, senhor, enquanto que Golo, para arrancar seus favores, sempre falseia as coisas, não contradizendo-o jamais em nada e bajulando-o a todo momento. Não é que não seja digno de louvores, mas permita-me aconselhá-lo a desconfiar sempre daqueles que em todo momento lhe dá razão e o lisonjeia. Diga-me, alguma vez traí a confiança que deposita em mim?

— Nunca, Wolf, e o considero mais um amigo que servidor, o que sempre lhe demonstrei.

— Pois, por esta amizade, peço-lhe que aceite minhas palavras; aquele que lhe diz a verdade, ainda que esta seja às vezes desagradável, é seu amigo sincero. E pela lealdade que sempre demonstrei, peço-lhe com fervor: revogue esta sentença, antes que seja demasiado tarde!

O conde nada respondeu. Uma luta atroz tinha lugar em seu interior, e ao se dar conta disso, o fiel servidor acrescentou:

— Como é possível, senhor conde, que se deixasse arrastar pela cólera até tal extremo? Não lhe parecia um crime horrível condenar o último de seus vassalos sem antes haver escutado a defesa que do mesmo pudesse fazer? Em troca, condenou sua esposa, verdadeira imagem da pureza e da retidão, sem ter-lhe dado a oportunidade de poder se defender das acusações de Golo. Senhor, não leve a mal minhas palavras, que são ditadas pelo grande afeto que sinto pelo senhor. De agora em diante, tenha cuidado em reprimir seus arrebates de ira, que tanto desdizem sua grande bondade, pois veja até que extremos podem levá-lo. No que se refere ao horrível caso que nos ocupa, temo que já não há nada a fazer. Falei de revogação, mas se Golo é culpado, como imagino, deve ter se apressado em cumprir sua funesta ordem!

Sigfrid teve que confessar, agoniado, que havia agido com excessiva precipitação naquele grave caso. Mas, por outro lado, não estava convencido da inocência de Genoveva. Continuava lutando em seu interior para resolver quem era o culpado naquela horrorosa situação, se o intendente Golo, como Wolf afirmava, ou sua esposa.

À enorme confiança que o conde depositava no ardiloso Golo, que conhecia a fundo a arte de bajular, como já dissemos, se havia unido naquele assunto aquela carta tão magistralmente escrita por ele, na qual acusava Genoveva. Era um prodígio de engenho, pois parecia espontânea, dolorida, a verdadeira missiva de um leal servidor e de um bom amigo, que não pôde deixar de vingar e castigar a quem traíra a seu senhor.

— Ainda não está convencido? — exclamou Wolf, ao ver que ele nada dizia. — Ainda duvida de sua esposa?

— Ainda, Wolf, e não posso evitá-lo! Mentiria se dissesse que creio completamente em sua inocência. Não posso deixar de ter fé em Golo tão de repente. Sempre o considerei como um fiel servidor.

— Mas pode deixar de ter fé em Genoveva por um momento, com as inumeráveis provas de amor que ela lhe deu, de bondade para com todos, de pureza e honestidade completas...

Ainda não convencido de todo, mas horrorizado ao pensar que podia ter condenado à morte uma inocente, por um erro, respondeu com veemência:

— Sempre acreditei que era a mais honesta das mulheres. E não estando completamente seguro de sua inocência, mandarei imediatamente um emissário a Golo, para ordenar-lhe que não cumpra ainda a sentença. Que não permitam a Genoveva sair de suas habitações, mas que nenhum dano lhe causem até que eu possa falar com ela e solucionar o assunto com honra e justiça.

Mandou chamar seu mais leal mensageiro, e escolhendo para ele o melhor de seus cavalos, lhe entregou uma nova ordem, recomendando-lhe que procurasse chegar a seu destino o quanto antes, prometendo-lhe que se chegasse a tempo de entregá-la a Golo antes que este tivesse executado Genoveva, lhe entregaria uma grande soma como recompensa, em seu regresso.

Durante o tempo que o emissário demorou para ir e voltar, Sigfrid foi preso da maior angústia e intranquilidade. Dia a dia, estas iam aumentando até chegar a se tornarem insuportáveis. Paulatinamente, inclinava-se a acreditar na inocência de Genoveva, à medida em que desaparecia a ira que o dominara. Mas o que não conseguia compreender era que Golo, a quem havia enchido de benefícios e favores, tivesse levado sua maldade até o extremo de fazê-la vítima daquele tremendo engano.

Por fim regressou o mensageiro, tão ansiosamente esperado por Sigfrid, mas quando este o viu entrar na tenda, lívido e com os olhos muito abertos pelo espanto, compreendeu o que havia ocorrido, e que tardiamente havia tratado de evitar. Convenceu-se de que não se equivocara quando o emissário lhe comunicou, com voz fúnebre, que a segunda ordem não havia chegado a tempo, pois antes desta ir parar nas mãos de Golo, Genoveva e seu filho haviam sido executados no bosque, durante a noite.

Aquela horrorosa notícia aterrou o conde, enchendo-o de desespero. Quanto ao fiel Wolf, que se achava presente quando o emissário voltou, não pôde pronunciar uma só palavra. Genoveva, sua respeitada senhora, tão jovem, linda e boa, executada daquele modo bárbaro! Mesmo tendo o coração curtido por uma longa vida de lutas, não pôde evitar que lágrimas assomassem aos seus olhos. E para que o conde não o visse chorar, abandonou precipitadamente a tenda.

Mais uma vez, ao ar livre, não conteve sua dor, traduzida em indignadas e doloridas frases, as quais atraíram para ele muitos dos cavaleiros que acompanhavam o conde. Ao se inteirarem do que havia acontecido, todos experimentaram a mesma cólera e igual comiseração pela pobre condessa, a quem apreciavam por sua extraordinária bondade. Encheram Golo de maldições e juraram que, ao regressarem da contenda, castigariam como merecia o traidor que tão infamemente havia agido.

O conde Sigfrid teve que permanecer prostrado no leito durante quase um ano, por causa das graves feridas. Ainda que os médicos dissessem que logo ele estaria curado, a inquietude e o remorso que experimentava atrasaram a cura, pois o impediam de repousar pacificamente, especialmente durante as noites, nas quais, insone, se torturava pensando na desgraçada morte de sua pobre esposa.

Finalmente, no entanto, se restabeleceu, e ao encontrar-se com forças para realizar uma longa viagem, pediu licença ao rei para se retirar da luta. O soberano concedeu-lhe a licença sem demora, vendo o débil estado em que o conde, seu fiel vassalo, se apresentava, apesar de já ter as feridas cicatrizadas.

Por outro lado, os mouros haviam deixado de ser tão temíveis como quando começara a luta, pois, atemorizados pelos enormes fracassos sofridos e pelas baixas em suas hostes, iam se retirando paulatinamente.

Tendo, pois, a permissão do rei para se retirar de seu castelo, Sigfrid, acompanhado de seu fiel escudeiro Wolf, se dispôs a realizar a viagem. Vários dos nobres que o haviam seguido à contenda o seguiram também, a fim de não abandoná-lo até que estivesse em seus vastos domínios, para se assegurarem de que nenhum percalço lhe aconteceria no caminho.

Assim que chegou às suas possessões, muitas das pessoas simples que habitavam aqueles arredores correram a vê-lo, avisadas umas pelas outras, velozmente, de seu retorno. Todos se dirigiam a ele com tom lastimoso, expressando com suas palavras simples o quanto sentiam pelo atroz fim que supunham ter tido Genoveva, sua generosa ama.

— Que terrível desgraça, senhor! — exclamava um, aflito. — Pobre condessa! Que final horrível teve!

— Como ela era boa! — agregava outro. — Ninguém podia falar senão coisas boas sobre ela!

As mulheres choravam dizendo:

— E o culpado de tudo foi o intendente!

— Esse malvado Golo, senhor, que não era digno de sua confiança!

O conde, desmontando, emocionado, misturou-se àquela boa gente, que de um modo tão espontâneo e franco o recebia, e saudou a todos afetuosamente, apertando as mãos que se lhe estendiam, falando com suavidade aos anciãos, acariciando os pequenos.

E eles, correspondendo ao seu afeto, lhe foram explicando todos os pormenores do acontecido, e quais eram as opiniões que a respeito do infausto caso circulavam. Assim, Sigfrid pôde se convencer, uma vez mais, da terrível injustiça que havia cometido com a pobre Genoveva. Não havia ali nem sequer um que expressasse a menor dúvida a respeito de sua inocência. Em troca, todos estavam de acordo em acusar Golo, sobre quem lançavam as mais ardentes maldições.

O conde se consolava, de certo modo, escutando os louvores que todos faziam de sua esposa, mas, por outro lado, ao considerar que ele mesmo a havia levado à morte, enchia-se de dor. E foi com o coração oprimido que, se despedindo daquela boa gente, voltou a montar em seu cavalo, continuando seu caminho para o castelo, seguido pelo leal Wolf e o restante dos cavaleiros.

***

Já anoitecia quando o conde e seus acompanhantes avistaram o castelo. Havia escurecido, portanto, e logo puderam se dar conta de que na residência ocorria algo insólito. Foi o próprio Wolf quem, juntando seu cavalo ao de Sigfrid, disse-lhe:

— Repare nas janelas do castelo, senhor. A maior parte está iluminada. O que está acontecendo?

— Não sei — replicou ele, surpreso. — Costumava vê-las assim só nos dias de grandes festas, quando iluminávamos nossos melhores aposentos.

E era precisamente o que ocorria no castelo. Golo, ignorando o regresso de seu senhor, achando que não devia esperar tal retorno senão muito depois — caso ele regressasse —, estava celebrando uma de suas orgias na companhia de todos os outros que haviam traído o conde, secundando Golo em tudo. Mas não era alegria precisamente o que havia no negro coração do malvado. Já não conseguia acalmar o remorso que sentia desde a noite em que mandara executar Genoveva. Agora, em vão, tentava apagá-lo de sua mente aturdindo-se com festins.

Organizava sempre orgias com tal fim, e somente quando bebia bastante vinho, esquecia um pouco o triste fim da inocente Genoveva, quase perdido na inconsciência. Mas, ao recobrar de novo seu pleno sentido, o remorso retornava, mais atroz do que nunca, não o deixando jamais em completo sossego.

Todos já haviam notado isso, em especial os antigos serventes que, acreditando cegamente na inocência de sua boa ama e permanecendo leais ao conde, viam-se obrigados, no entanto, a obedecerem às suas ordens, para não se exporem a contingências desagradáveis.

E naquela noite, naquele novo festim, onde Golo tentava esquecer as acusações de sua consciência, um deles sussurrava para o outro:

— Estou certo de que, se nosso bom senhor, o conde Sigfrid, morresse na guerra, esse malvado Golo se apoderaria de tudo e nos transformaria em escravos. Mas de todo jeito, não gostaria de estar em seu lugar. Olhe que aspecto tem! Sorri, mas seu sorriso é como uma careta. Seu olhar sempre parece receoso. O temor não o deixa.

— É verdade — respondeu o outro. — Há tempos que noto isso. Esforça-se por continuar aparentando contentamento e despreocupação, mas não consegue, vê-se claramente. Tampouco eu gostaria de ser ele, especialmente tendo em conta a "recompensa" que vai receber logo no outro mundo por suas maldades.

Enquanto isso, Sigfrid e seus valorosos guerreiros haviam chegado à porta do castelo, e então o conde ordenou aos seus trombeteiros que dessem o sinal de chegada. A sentinela que se achava na plataforma da torre respondeu com os sinais regulamentares, e tudo mudou no interior do castelo.

Golo e seus comensais se levantaram subitamente de seus assentos, com o semblante alterado pela estupefação, enquanto por todas as partes se ouvia exclamar:

— O conde! O conde! Ele regressou!

Golo, que era o último a esperar aquele inusitado regresso, quando ainda continuava a luta contra os sarracenos, colheu com suas mãos trêmulas pelo espanto um dos candelabros que havia na escada, e saiu a receber Sigfrid.

Fingindo solicitude e naturalidade, foi segurar o bridão do cavalo em que ainda estava montado o conde, para que ele desmontasse. Mas se tinha alguma dúvida a respeito dos sentimentos do conde para com ele, o duríssimo olhar que seu senhor lhe dirigiu bastou para acabar com ela. Sigfrid não pronunciou sequer uma palavra, mas o traidor sentiu-se desfalecer com aquele olhar.

Um tremor percorreu todo o seu corpo, e ele sentiu-se réu ante um juiz implacável. Seus olhos não podiam deixar de expressar o remorso que há tanto tempo o torturava e em seu desfigurado rosto se podia ler claramente a sua culpa.

Tentou se conter, de qualquer jeito, para poder afirmar logo sua completa inocência com tom e atitude convincentes, mas não conseguia. Andava diante do conde, mas as pernas tremiam e sentia uma frouxidão nos braços que fazia o candelabro que levava parecer que ia cair a cada instante.

Seguiram assim por vários aposentos do castelo, nos quais, o conde, cada vez mais enojado, ia notando sinais de desordem e dissipação. Alguns dos convidados haviam saído da sala do banquete, assustados, e permaneciam agora quietos como estátuas ao ver passar o conde, com seu impressionante aspecto, sendo seus rostos temerosos a maior prova de sua cumplicidade.

Em troca, os antigos servidores que, apesar de tudo, haviam permanecido fiéis a Sigfrid em seu interior, lhe sorriam contentes, como libertados, encarando-o emocionados ao vê-lo regressar são e salvo. E, ainda que ele não pudesse sorrir naquele momento grave, dirigia-lhes também olhares benévolos, que aliviavam seus conturbados corações.

Quando entrou na grande sala de armas, Sigfrid tirou o capacete e a espada. Depois pediu a Golo as chaves do castelo e as entregou ao fiel Wolf, ordenando-lhe que cuidasse para que as portas da residência estivessem bem guardadas, de modo que ninguém pudesse sair delas sem ser visto. Dirigindo-se depois aos seus fiéis serventes, pediu-lhes que atendessem aos seus guerreiros, que chegavam muito fatigados da longa viagem, e finalmente, ordenou que o deixassem só.

Saíram, pois, todos, e Sigfrid ficou de pé no meio do aposento, contemplando com um olhar triste o que lhe rodeava. Quantas recordações lhe traziam tudo que estava ali, e como fazia vir à sua mente a imagem de sua linda e querida Genoveva, que nunca mais tornaria a ver.

Seus passos, vacilantes por causa da emoção, o levaram em primeiro lugar ao aposento de sua infeliz esposa, que há muito tempo estava trancado, por ordem de Golo, que não podia suportar nem sequer escutar falar dele, pois quando alguém o fazia, seu remorso era quase insuportável.

Tudo estava ainda tal como a pobre Genoveva o deixara naquele dia em que, por ordem de Golo, havia sido levada ao calabouço onde tantos meses permanecera. Tentando em vão conter sua emoção, o conde se dirigiu para o lugar onde ela costumava sentar-se para bordar no bastidor. Ali estava um bordado inacabado, representando uma coroa de louros, incrustada de pérolas, e rodeada da seguinte inscrição: "Para Sigfrid, de sua fiel esposa Genoveva".

Ela o estava bordando amorosamente para o regresso de seu marido, a quem tanto amava, e ele, ao comprovar isto, notou que sua dor aumentava ainda mais e crescia sua emoção. Ao levantar seus olhos, cheios de lágrimas contidas, do dito bastidor, viu também um caderno de música cheio de cantos e romanças singelas.

Via-se também em lugar de destaque um livro piedoso, copiado com grande paciência e primor por Genoveva, pois naqueles tempos eram poucas as pessoas que sabiam escrever. Ela, que havia aprendido, encontrava prazer singular em ir copiando os Sagrados Evangelhos e os feitos dos apóstolos, com o que supria a carência da imprensa, como faziam outros cristãos.

Assim havia aprendido também os sublimes ensinamentos de Jesus, que logo, como pudemos comprovar, ensinou a seu filho, ao se sentir em perigo de morte.

Sigfrid abriu depois a gaveta na qual ela guardava rascunhos de cartas que havia lhe escrito, cheias de ternura e impregnadas dos mais doces e nobres sentimentos. Não obstante, aquelas missivas jamais chegaram às suas mãos. Como era possível? Pensou como teria sido para ele um alívio imenso recebê-las naquele lugar de perigo, onde tanto sentia falta de sua doce companhia.

Naquelas missivas, Genoveva demonstrava o quanto o amava e de que maneira tão absoluta lhe guardava fidelidade. Contava nas mesmas, que cada dia rezava por ele, pedindo a Deus que o livrasse de todo perigo e o devolvesse ao castelo são e salvo da contenda com seus inimigos. Expressava amorosamente a imensa alegria que iria sentir em seu regresso, quando saísse para recebê-lo, levando nos braços um menino ou uma menina. Dizia-lhe também que, na falta de notícias, o que muito estranhava, passava rezando e padecendo por ele.

O conde espantou-se ao ler aquelas frases. Falta de notícias? Mas se ele as mandava periodicamente, quantas vezes lhe foi possível! E ele, tampouco, não havia recebido nenhuma de suas cartas, como já dissemos.

O conde então se certificou de que era Golo quem, não só havia retido as cartas que Genoveva lhe mandava, mas que também havia interceptado as suas. Tinha que fazê-lo assim, naturalmente, para não despertar suspeitas, já que tanto um como o outro teriam estranhado notavelmente receber missivas nas quais houvessem queixas pela falta de notícias.

O traidor havia planejado tudo muito bem, e Sigfrid estava cada vez mais convencido disso. Mas o que não compreendia eram os motivos que o indigno intendente tivera para agir assim. Não lhe havia dado plena autoridade ao partir, concedendo-lhe a maior confiança e liberdade? Certo, mas o conde não sabia que havia algo mais que o infame cobiçava, algo que devia respeitar como se fosse sagrado.

Estava refletindo sobre estas questões que não conseguia entender, quando lentamente se abriu a porta do quarto. Sigfrid voltou-se, o cenho franzido pela preocupação, e surpreendeu-se ao ver no umbral Berta, a filha do carcereiro.

Ao saber da chegada do conde, a moça havia respirado aliviada. Por fim iria entregar a carta que lhe dera Genoveva antes que a levassem ao bosque para matá-la! Ansiava entregá-la por duas razões. Uma, para que a inocência de sua querida ama ficasse patente ante os olhos de seu enganado esposo, e outra para ficar, por sua vez, liberada de guardá-la, pois sempre temia que pudessem encontrá-la, e que pudesse ser severamente punida por Golo.

— Perdoe-me, senhor conde — disse, avançando timidamente, com a missiva na mão. — Sei que o senhor estranha que eu entre agora neste aposento, mas é algo muito importante o que aqui me traz.

Ele sentia afeto por aquela jovem à qual sua esposa havia favorecido muito, em especial quando esteve doente, e ainda que naquele momento toda intromissão lhe incomodasse, respondeu com benevolência:

— Não é a ocasião adequada, mas se é algo importante como diz, então fale.

Ela assim o fez, já com maior confiança, ainda que um tremor percorresse todo o seu corpo. Quando chegou junto à cadeira onde Sigfrid estava sentado, e sem poder evitar que a emoção marejasse seus olhos, murmurou:

— Quero entregar-lhe uma carta que me deu sua esposa, nossa senhora condessa, na mesma noite de sua morte.

Ao escutar tais palavras, a face do conde se transfigurou. A depressão em que mergulhara depois de ler aquelas cartas adoráveis intensificou-se, e foi com uma nova luz nas entristecidas pupilas que perguntou:

— Uma carta dela? Ela a entregou a você?

— Sim, senhor conde. Fui vê-la para comunicar-lhe que iria morrer naquela noite. Sentia muita pena dela e quis preveni-la para que estivesse preparada. Além disso, eu disse pouco a pouco, e os verdugos não teriam tido esta precaução.

Ao recordar aquela noite horrível, o rosto de Sigfrid se contraiu, e foi com crescente dor que a escutou seguir dizendo:

— Eu lhe disse que se quisesse me dar algum encargo, eu o cumpriria. E ela então me pediu material para escrever... e me entregou esta carta.

As lágrimas corriam por sua face quando ela entregou a carta que Sigfrid pegou, ansioso e temeroso ao mesmo tempo. Ele já pressentia que nela Genoveva faria protestos de inocência, expressando a verdade, que até então ninguém havia podido revelar-lhe.

— Veja, senhor, o que ela então me deu — seguiu explicando Berta, que mostrou o colar de pérolas que Genoveva lhe entregara, como recompensa pela sua solicitude.

Ao vê-lo, o conde estendeu a mão, profundamente emocionado, e o pegou, levando-o aos lábios com veemência. Era o colar que lhe dera de presente, mas o corpo que com tanta majestade e simplicidade ao mesmo tempo o usara, havia sido ceifado pelo machado do verdugo, por ordem sua!

Tratando de conter o desespero que lhe invadia, devolveu o colar para aquela que agora era sua legítima dona, e abrindo a carta, a leu. De início, estava tão abatido que mal encontrava sentido no que lia. Fechando por alguns momentos os olhos, tentou se acalmar, e quando conseguiu, recomeçou a leitura.

Tão patente ficava nela a inocência de sua esposa, tanto o convenceu, tirando-lhe todo vestígio de dúvida, aquelas frases espontâneas, cheias de bondade, conformação e espírito cristão que, quando acabou de ler, não pôde conter as lágrimas. Era deveras impressionante ver aquele forte guerreiro, que sempre dera mostras de valor e firmeza, chorar desesperadamente, molhando com seu pranto a carta da infeliz Genoveva.

— Meu Deus! Meu Deus! — exclamava, dolorido. — Como pude ser a causa de sua desgraça, querida Genoveva? Tinha que ser eu, precisamente, que lhe amava tanto, a ocasionar sua morte? E não só a sua, meu anjo, tão inocente e pura, mas também a de seu filho, nosso pobre filho... Sou o mais infeliz dos homens!

Lamentava-se tão alto que seu fiel escudeiro Wolf, que estava no aposento contíguo, acudiu impressionado.

— O que se passa, senhor? — perguntou ele, olhando desconfiado para Berta, que também chorava, e depois voltando a fixar os olhos em quem mais que seu amo era, como já dissemos, mas um bom amigo para ele. — O que foi?

Sem pronunciar uma só palavra, Sigfrid estendeu a dolorosa missiva a seu leal servente, para o qual não tinha segredos. Este também ficou muito impressionado, mas sem se surpreender, já que jamais havia acreditado na culpa daquela senhora à qual tão respeitosamente apreciara.

— Não se aflija, senhor — tentou consolá-lo. — O que está feito, está feito, e já não tem remédio. Deixou-se levar pela cólera, e isto não é recomendável. Mas arrependeu-se e Deus verá sua contrição.

Mas tal consolo foi em vão. Sigfrid não podia deixar de se reprovar por aquele ímpeto que havia causado a morte de sua excelente esposa e de seu filho. De repente, o conde, dominando sua intensa emoção, levantou-se da cadeira onde estava sentado, e tomando a espada, se dispunha a ir em busca do traidor Golo para dar-lhe imediatamente o castigo merecido.

Mas Wolf o conteve, recordando-lhe que havia resolvido não condenar ninguém sem antes ter-lhe escutado, permitindo-lhe se justificar, se fosse possível. Dando razão ao seu fiel escudeiro, apesar da indignação que sentia, quase incontida, deixou novamente a espada. Não obstante, deu ordem de que se encerrasse Golo na lúgubre prisão onde durante vários meses estivera Genoveva. E a mesma ordem foi dada com relação a seus cúmplices, que também o haviam traído.

Os soldados ficaram muito satisfeitos em cumprir aquela ordem, e foi com verdadeira complacência que se apresentaram ante o infame para conduzi-lo à masmorra, fazendo o mesmo com seus comparsas. Finalmente, começava a transparecer a verdade.

***

Sigfrid mal dormiu naquela noite. As frases da carta de Genoveva, tão simples e emotivas ao mesmo tempo, haviam ficado tão gravadas em sua mente, que continuamente as revia em seu íntimo, sem poder evitar que uma dor imensa lhe dilacerasse o coração.

No dia seguinte, assim que amanheceu, o conde mandou trazer Golo à sua presença. A indignação pelo desleal comportamento daquele homem, em quem tanto confiara, fervia como um vulcão em seu interior, mas ao mesmo tempo, certas frases da carta de Genoveva o continham um pouco, induzindo-o a ter alguma misericórdia.

Eram palavras que se referiam a Golo no sentido de que não se vingasse dele, que o perdoasse. Resultava muito generoso da parte de Genoveva perdoar e induzir ao perdão naquela hora terrível em que injustamente ia ser executada. E tão extrema bondade aumentou ainda mais a admiração que o conde sentia por sua esposa, cuja ausência lhe parecia agora que não poderia suportar.

Por causa das recomendações de Genoveva, não foi com ódio que o conde encarou Golo quando ele se apresentou, mas com dolorosa repreensão:

— Que mal eu lhe fiz, Golo, para que você me trouxesse uma desgraça tão atroz? Que mal lhe fizeram minha esposa e meu filho para que você se convertesse injustamente em seu verdugo? Lembre-se de que quando chegou às portas deste castelo, era somente um jovem desvalido, sem proteção alguma. Eu o ajudei desde aquele instante, enchendo-o de atenções e benefícios, pois me inspirou afeto, e acabei por dar-lhe toda a minha confiança. É assim que resolveu pagar todo o bem que fiz por você?

Golo, que ao saber da ordem de encarceramento, sentiu-se perdido, havia acudido tremendamente à presença do conde, apesar de sua firmeza, pois esperava encontrá-lo furioso, fervendo de justificada ira. Estava disposto a negar sua culpa, mantendo-se firme em sua posição, para salvar sua vida, mas a suave atitude de Sigfrid, que parecia de certo modo como a de um irmão, o desarmou.

Seu coração, endurecido pela ambição e cobiça, guardava, todavia, um pouco de sinceridade, e as palavras de Sigfrid o comoveram tanto, que um rouco soluço subiu a sua garganta. Então, com tom desesperado, mas com a cabeça inclinada e a olhar esquivo, pois não podia suportar a expressão de seu amo, exclamou:

— Sou um miserável, senhor, devo confessar! Cegado por uma paixão funesta por sua esposa, que honestamente me rechaçou, jurei me vingar dela, que sempre foi pura e inocente como um anjo, e busquei sua perdição e a de seu filho por meio daquela carta que lhe mandei.

Ante a enorme surpresa que experimentou o conde ao escutar as causas daquela infâmia, o malvado, que então havia já levantado os olhos para ele, acrescentou:

— Compreendo que eu o assombre com o que digo, senhor. Confiava em mim, encarregou-me de guardar seu maior tesouro, que era sua esposa. Mas eu, em lugar de honrar tal confiança, e livrá-la ao mesmo tempo de qualquer perigo, a fiz objeto do pior perigo que pode haver para uma mulher honesta. Sim, meu senhor, tentei seduzi-la. Mas, como já lhe disse, ela me rechaçou, não uma, mas várias vezes, com grande valentia.

Apesar de saber que aquela confissão seria sua perdição, algo impulsionava Golo a continuar se acusando. Era a sua consciência, que durante todo aquele tempo não lhe havia deixado em paz e que agora queria desafogar-se completamente. E ele seguiu dizendo:

— Ao ver que não conseguia meus propósitos, temi por minha vida. Quando o senhor regressasse, ela lhe contaria o sucedido, dizendo-lhe que não podia confiar em mim, já que havia me portado assim. Conhecendo seu caráter, compreendi que tudo estaria perdido para mim. Foi então que planejei sua morte. Deste modo, nada poderia dizer, ela levaria meu segredo, e eu poderia seguir desfrutando de seus favores.

Junto ao horror que lhe produzia tal confissão, que tanto desmerecia aos seus olhos o intendente, Sigfrid experimentou um profundo alívio, por ter certeza da inocência de sua esposa. Não que ele já não tivesse esta certeza, mas as contundentes palavras de Golo a haviam reafirmado.

Não quis escutar mais nada, já sabia o suficiente. Ordenou aos soldados que levassem Golo novamente, e o trancassem no calabouço. Mas, uma vez só, comprovou que a certeza da inocência de sua esposa, se o tranquilizava por um lado, o entristecia por outro, já que o fazia ver ainda mais claramente sua atroz injustiça.

Não pôde evitar que um amargo pranto voltasse a descer por sua face, pois o mal que havia feito, não poderia corrigir, segundo pensava, e nada era capaz de devolver a vida àquela que, por orgulho e ira, a havia perdido de tão humilhante maneira.

Finalmente, no transcorrer dos dias, seu desespero foi cedendo, mas só para dar passagem a uma nociva tristeza que ia minando pouco a pouco suas forças. De vez em quando, sem embargo, lhe acometiam novos arrebates de desespero, que causavam o temor e a pena daqueles que o amavam.

Os cavaleiros da região, seus bons amigos, e que haviam se inteirado da verdade do caso e compreendiam sua inconsolável dor, acudiam ao castelo para visitá-lo, solícitos, e lhe convidavam às suas residências, a fim de distraí-lo daquela obsessão que temiam que acabasse com sua vida.

Mas todos os esforços eram em vão. Não conseguiam que Sigfrid abandonasse o castelo. O conde passava horas e horas no quarto de Genoveva, entre as coisas que lhe haviam pertencido e que pareciam falar-lhe dela. E com frequência o viam também na capela, orando sentado em silêncio, como se naquele lugar se sentisse mais perto da alma da infeliz.

Sigfrid começou então a pensar onde estaria o sepulcro de Genoveva, pois certamente, pensou, os verdugos haviam enterrado seu corpo no local onde a mataram. Desejava saber para ali rezar, e fazer trasladar seus restos para que recebessem as honras póstumas, sendo guardados no panteão familiar.

Mas, ainda que tentasse descobri-lo por todos os meios, nada conseguiu. O que se sabia era que Genoveva e o filho haviam sido levados a um lugar afastado dos bosques que rodeavam o castelo, mas ninguém conhecia o lugar exato.

Quanto a Conrado e Roger, os supostos verdugos da condessa, já não estavam na comarca. Ao regressarem do bosque, depois de terem deixado com vida Genoveva e seu filho, sentiam-se muito tranquilos, pois, apesar do temor que sentiam de Golo, estavam satisfeitos por terem realizado uma boa ação.

Mas, depois, ambos começaram a experimentar vivos remorsos por sua conduta e, em certa ocasião, Roger disse a Conrado:

— Não posso deixar de pensar na infeliz condessa. O que ela irá fazer sozinha no bosque, sem recursos, sem ajuda de ninguém? Morrerá de fome, de frio, ou destroçada pelas feras.

— Também me torturam estes pensamentos — confessou Conrado. — Mas, o que mais podíamos fazer, além do que fizemos? Arriscamos nossas vidas por ela, e ainda estaremos em perigo, se por azar Golo souber do que realmente aconteceu.

— Não pensemos agora em nós de um modo egoísta. Pior situação é a dessa inocente mulher. Se a tivéssemos levado a Brabante, para a casa de seus pais! Agora, ela e seu filho estariam bem protegidos, e quem sabe se o duque nos teria tomado a seu serviço. Mas deste modo... mal posso dormir à noite pensando nisto.

A Conrado também acontecia o mesmo. E ambos os homens, vendo que não podiam conservar a tranquilidade, tomaram uma resolução. E qual foi esta? Ninguém soube com exatidão, exceto seus familiares, que permaneceram lá. Só souberam que haviam partido do condado. Mas não se deu importância ao fato. Quanto a Golo, que já tinha que suportar seus próprios remorsos, nem se inteirou disso.

Havia lhes outorgado uma boa recompensa quando se acalmou um pouco, pois de momento, como já sabemos, ficou furioso quando os dois retornaram, e os expulsou de sua presença. Golo achou que haviam cumprido suas ordens, e, ainda que já naquele momento lamentava seu impulso assassino, compreendeu que mereciam uma recompensa por seu trabalho, e a concedeu com generosidade.

Mas não foi ele mesmo quem a entregou, pois havia manifestado que não queria mais ver aqueles homens, nem ouvir falar deles. Só o fato de escutar seus nomes aumentava seu remorso, que já era atroz, fazendo-o recordar o infausto acontecido. Por isso nem soube de sua partida.

O conde percebeu que, estando longe os dois supostos verdugos, por mais que se empenhasse, não conseguiria encontrar os restos de sua esposa e de seu filho. Mandou então celebrar funerais solenes na igreja do castelo, aos quais assistiram todos os cavaleiros da região, acompanhados de suas distintas esposas. Também acudiram grande número de vassalos dos arredores, e toda a criadagem do castelo se juntou àquele ato fúnebre, com o qual se queria honrar postumamente a memória daquela que tão boa fora para todos.

Mas como era grande a multidão, demasiada para a capela da igreja, que era pequena, naturalmente, sendo particular, muitos não puderam entrar. Permaneceram, no entanto, no exterior, sentindo em seus corações que, com aquele ato de presença contribuíam para manifestar o grande afeto que sentiam pela generosa condessa.

Terminados os funerais, Sigfrid deu ordem de repartir abundantes esmolas entre os pobres, recordando o que Genoveva lhe recomendara na admirável carta que havia escrito antes de deixar a prisão.

Mais tarde, o conde mandou erigir um monumento na capela da igreja, na qual devia figurar, em letras de ouro, uma inscrição que perpetuasse a memória da infeliz Genoveva e de seu filho.

Desejava que a posteridade conhecesse a história de sua infeliz esposa, acreditando realmente que esta havia finalizado no momento em que o machado do verdugo se abatera sobre seu infeliz colo.

Ignorava que o destino lhe reservava muitas surpresas a respeito daquele assunto, como já se supõe. Mas iria passar muito tempo antes que conhecesse toda a verdade e pudesse descansar completamente de seu remorso, e gozar da maravilhosa e surpreendente realidade, pois foram sete anos que Genoveva e seu filho permaneceram no bosque, sem poder se comunicar com ninguém.

Durante todo aquele tempo, Sigfrid seguiu dando-os como mortos. Nada tinha para suspeitar o contrário. Só Conrado e Roger, se tivessem permanecido no condado, teriam podido confessar a verdade. No entanto, Deus havia disposto que Genoveva e seu esposo voltassem a se encontrar.

16
A CERVA LEVA SIGFRID À GRUTA

Passou-se muito tempo antes que o conde sentisse novamente ânimo de sair de seu castelo. Em primeiro lugar, a dor lacerante que sentia pela injusta morte de Genoveva o impedia de aproveitar qualquer coisa. Era em vão que tentava se animar, dizendo-se que já não podia reparar o que havia feito, e que tanto arrependimento trazia ao seu coração. A dor o consumia dia e noite. Durante o dia, impedindo-o de desfrutar de algo; durante a noite, fazendo-o passar horas e horas de torturante insônia.

Por outro lado, havia ficado muito amargurado com a traição de Golo, no qual tanto confiara. Como o conde já dissera ao mesmo, ao regressar ao castelo, ele o havia recolhido quase por compaixão, mas logo tomou-lhe afeição. Ter sido traído pelo intendente de um modo tão completo era algo que o afetava profundamente, unindo-se este sofrimento ao que sentia por sua esposa.

Além disso, seus remorsos não se acalmavam. Havia acreditado que, se não felicidade, pois não esperava voltar a experimentá-la jamais, teria pelo menos um pouco de paz depois de haver confessado plenamente seu tremendo erro. Mas a paz não queria chegar até seu coração angustiado. E ele passava horas horríveis mergulhado no desespero, sem que nada nem ninguém conseguisse animá-lo.

Pensava em seu desconhecido filho, que ao crescer teria sido seu maior orgulho e sua felicidade mais intensa. Imaginava-o correndo pelos grandes aposentos, aprendendo a falar, chamando-o de pai, alegrando-o com seu infantil regozijo. Se não tivesse agido com aquele louco impulso, este sonho seria agora realidade. E Genoveva e ele teriam desfrutado juntos daquele dom divino.

Deste modo se torturava Sigfrid, sem atender aos bons amigos que continuamente lhe recomendavam que se distraísse para afugentar, pouco a pouco, a recordação daquela tragédia. Seu fiel escudeiro Wolf era quem mais trabalhava naquele sentido, temendo que, se continuasse daquele modo, o conde acabaria por enlouquecer.

Combinava com os melhores amigos do conde, senhores da região, que de fato o estimavam, para acharem um modo de fazê-lo sair daquela perniciosa apatia. Insistiam em convidá-lo para as suas luxuosas residências, e, por fim, puderam conseguir que, ainda que sem ânimo algum, e só atendendo às suas reiteradas súplicas, começasse a participar de suas festas.

Enquanto alguns organizavam alegres festins, que animavam com cantos e danças, outros preparavam atraentes torneios nos quais tomavam parte os mais valentes cavaleiros dos arredores. E outros, finalmente, o convidavam para caçadas.

Enquanto isso, os anos iam passando, e fazia sete anos que, segundo acreditava Sigfrid, sua querida esposa Genoveva havia morrido. A princípio não aceitava nenhum convite, mas então começou a aceitar alguns, só de vez em quando, depois de muita insistência, e sem tirar daquelas festas mais que um pouco de distração para suas torturas, ainda que nenhum prazer.

Pouco a pouco, no entanto, sua horrível dor foi suavizando-se. Guardava fielmente em sua alma a recordação de Genoveva e pensava nela muitas vezes, mas a resignação havia ocupado o lugar do desespero, e agora conseguia encontrar algum prazer nas distrações que lhe proporcionavam seus bons amigos.

O que mais lhe seduzia, no entanto, era quando lhe propunham as partidas de caça. Antes da guerra afastá-lo de seu lar, esta havia sido sua diversão favorita, e foi com crescente interesse que participou delas de novo, voltando das ditas caçadas tonificado pelo exercício, o sol e o ar.

Em certa ocasião, estando Sigfrid no aposento de Genoveva, aonde ia todo dia, permanecendo muito tempo, seu fiel escudeiro Wolf pediu permissão para entrar:

— Vim comunicar-lhe, senhor, um projeto no qual venho trabalhando há vários dias. Não me atrevia a manifestá-lo antes por temer molestá-lo, mas não deixo de pensar nisso.

— Diga o que deseja, meu bom amigo. Sabe que sempre lhe escuto com atenção. Você é o responsável, em grande parte, por me fazer sair daquele terrível estado em que me encontrava.

— Fiz todo o possível para conseguir que se distraísse, é verdade, mas não menos fizeram seus excelentes amigos, os cavaleiros da região.

— É verdade, e estou muito agradecido.

— Pois é precisamente a esta gratidão que se refere meu plano, senhor.

— O que quer dizer?

— Já verá. Eu sou testemunha do quanto estes cavaleiros batalharam para conseguir que voltasse a tomar parte nas manifestações sociais. Não consegue tirar delas a alegria de outros tempos, como é natural, mas também já não se vê em seu semblante aquela expressão que nos fez temer por sua razão.

— Também achei, por alguns momentos, que ia enlouquecer, meu bom Wolf. Vocês conseguiram me salvar.

— Nesse caso, não hesitará em corresponder à amizade que todos os cavaleiros demonstraram para com o senhor. E meu plano, que submeto à sua consideração, é o seguinte: organizarmos uma caçada, como nos velhos tempos.

Sigfrid franziu o cenho com certo mau humor. Havia perdido em parte a hospitalidade de antes, seu desejo de acolher, de atender. Respondia aos convites forçando a si mesmo para afastar aquela tristeza esmagadora, mas não se sentia com ânimo para ser o principal articulador de uma reunião.

Não obstante, Wolf, compreendendo que aquele seria outro passo para reintegrá-lo novamente ao posto social que lhe correspondia, se permitiu insistir quando ele se negou, dizendo:

— Teme não poder atender aos seus amigos como antigamente, mas não é assim. Não se trata de nenhum baile, nem festa barulhenta. A caça é uma coisa séria, de certo modo, e creio, com todo o respeito, senhor, que deve a seus amigos esta atenção.

— Compreendo, Wolf, e sempre foi minha norma corresponder a todos os favores que recebo, em um ou outro sentido.

Sobrepondo-se ao desânimo que ameaçava dominá-lo de novo, resolveu rapidamente: — Muito bem, aceito seu plano. Convoque todos os cavaleiros para uma reunião, onde trataremos dos pormenores.

Wolf partiu para cumprir o encargo, satisfeito por haver conseguido seus propósitos, que não eram outros senão conseguir que Sigfrid recuperasse completamente a normalidade.

***

Terminava o inverno. O sol começava a esquentar a atmosfera durante o dia, mas as noites eram ainda bem frias. Na reunião que Sigfrid convocara, combinaram que celebrariam a partida de caça se o dia amanhecesse limpo, havendo nevado na noite anterior. Deveriam se reunir, então, sob um carvalho que havia junto à entrada do bosque.

Encontraram-se, pois, no lugar marcado à saída do sol, e depois de terem trocado amistosas saudações, o conde e seus convidados, seguidos por uma escolta de servidores, entraram no bosque. Os caçadores iam a cavalo formando vários grupos, e os serventes os acompanhavam, a pé, levando cavalos de reserva, e também suprimentos.

Logo se escutou no bosque o soar dos cornos de caça e os uivos dos cães, e a caçada começou ao se internarem os concorrentes em várias direções do intrincado bosque.

Tinham já abatido muitos javalis e algumas corças quando, de repente, Sigfrid viu sair de entre umas matas, uma linda cerva. Decidido a obter aquela linda caça, o conde preparou um arco e disparou contra o animal. Mas este, leve e elástico, apressou-se a fugir do inesperado ataque.

Sigfrid não se deu por vencido, não obstante. Resolvido ainda a conseguir aquela magnífica peça, foi veloz em seu encalço. Mas era em vão que tentava alcançá-la, pois a cerva corria mais. Ferido em seu amor próprio, no entanto, o conde continuou seguindo-a, sem se dar conta de que se afastava muito de seus amigos.

Aquela era, verdadeiramente, uma singular luta, na qual a Providência jogava um grande papel. A cerva seguia fugindo do obstinado caçador, mas este não desistia. Poderia ter abandonado aquela presa para buscar outras, mas tinha naquele instante uma ideia fixa: matar aquela linda cerva que com tanta habilidade escapulira de sua pontaria!

Deste modo, perseguindo-a incansavelmente, passaram por entre arbustos e matagais, saltaram rochas, cruzaram barrancos e subiram penhascos. Parecia uma corrida sem fim.

Finalmente, a cerva, que ao fugir havia se dirigido, naturalmente, ao lugar onde costumava se abrigar, aproximando-se dele, passou habilmente por entre uma espessa mata, e chegou, como fora seu propósito, a seu esconderijo.

Este não era outro, como já se supõe, senão a gruta na qual habitavam Genoveva e seu filho há sete anos. A cerva, sem saber, havia exercido a missão de reunir Sigfrid e sua esposa, a qual julgara morta há tanto tempo.

Quanto a este, chegou um momento no qual a aspereza do mato fechou por completo o caminho a seu cavalo. Dando-se conta de que não poderia seguir perseguindo-a montado, desceu, e, atando a uma árvore seu corcel, prosseguiu a pé em perseguição ao animal, guiado pelas pegadas que aquele deixara sobre a neve.

Depois de não poucos esforços, conseguiu chegar até a gruta. O caminho fora duro, mas dizia-se agora que por fim ia obter o prêmio por sua constância. Se a cerva, como as pegadas indicavam, tinha entrado naquela gruta, não poderia escapar.

Aproximou-se da mesma, mas no primeiro instante, como seus olhos estavam acostumados à luz do dia, não viu nada no interior. Entrou então, convencido de encontrar somente o animal tão tenazmente perseguido. Mas qual não foi seu assombro ao ver que, deitada no chão, havia uma pessoa. A penumbra que ali reinava o fez pensar, imediatamente, que se tratava de um cadáver, tão pálida e magra estava. Por outro lado, permanecia imóvel, e tinha, realmente, a aparência de uma morta.

Genoveva conseguiu vencer sua enfermidade, e não tinha morrido, como temera, mas estava tão débil e enfraquecida, que mal encontrava forças para sair da gruta. Então, ao escutar um rumor, abriu os cansados olhos, indo fixá-los na figura que se levantava à sua frente. Ela não pôde reconhecê-lo logo, mas algo vibrou em seu interior quando o desconhecido, com sua voz que levantava em sua alma ecos adormecidos, gritou espantado, ao ver que se movia:

— Se é um ser humano, mostre-se à luz do dia!

O conde temia ser vítima de uma alucinação, pois não esperava que algum ser humano habitasse aquele lugar. E retrocedendo, saiu da gruta, à luz do sol, esperando...

Genoveva, impulsionada por aquela voz que trazia para ela recordações imprecisas, tentou ficar de pé. Era tal a sua debilidade, que só o fato de se levantar lhe custou um grande esforço. Pouco a pouco, no entanto, conseguiu se levantar, e, vacilante, saiu ao exterior da gruta, envolta na branca pele de ovelha.

Não era de se estranhar que sua aparição impressionasse enormemente a Sigfrid, pois era na verdade pavoroso seu aspecto. A longa cabeleira loira lhe caía pelas costas e por cima do peito, desgrenhada, pois sequer tinha ânimo, como antes, para arrumar-se um pouco. Sua tez estava lívida, como a de um cadáver, e círculos escuros rodeavam seus olhos, abrilhantados pela febre.

Havia mudado tanto que Sigfrid, recuando assustado, nem sequer a reconheceu. Ele tentou dominar seu espanto, no entanto, e perguntou estupefato:

— Quem é você? E como vive em um lugar tão isolado?

Genoveva, por sua vez, com extraordinário assombro, havia reconhecido seu esposo. Primeiro duvidou do que estava vendo, temerosa de que a febre, que não a abandonara, lhe fizesse ter visões. Mas, não! Aquele rosto era o de seu amado esposo, aquela figura... apesar do tempo transcorrido, não havia mudado muito. Sim, era ele!

Sem parar para pensar na estranha circunstância de tê-lo à sua frente, ela respondeu à pergunta, dizendo com voz desfalecida:

— Sigfrid, sou sua esposa Genoveva, a quem sentenciou à morte. Mas sou inocente! Deus é testemunha!

Sigfrid havia retrocedido mais ainda ao escutar aquelas palavras. Sofria de novo alucinações? Ao regressar ao seu castelo, depois da guerra, as havia padecido. Às vezes, ao entrar em um aposento do mesmo, pensava ver a sua esposa, mas rapidamente se desvanecia a visão, porém, nos dias em que isto lhe sucedia, o desespero voltava a dominá-lo. Agora, ao se ver frente a frente com aquela estranha figura, que remotamente se parecia com Genoveva, achou estar preso novamente a um delírio.

Mas ao escutá-la falar, temeu ser mesmo o espectro dela que tinha diante de si, disposto a ajustar contas por seu injusto proceder. Por isso, com voz trêmula pelo espanto, disse:

— É a alma de minha defunta esposa Genoveva? Veio talvez me censurar o que ordenei fazer com você e com nosso filho anos atrás? Talvez tenha sido neste local onde se cometeu o terrível crime. Sepultaram-na, por acaso, perto desta gruta? Oh, busquei inutilmente a sua última morada, para recolher os restos e conceder-lhes as honras que mereciam e que injustamente lhes arrebatei!

Olhou para o chão, profundamente impressionado, e então disse:

— Talvez seus despojos se ergueram quando eu pisei a terra que se tingiu com o seu sangue por minha causa. Sua alma não permite que os pés de um assassino se aproximem da pacífica tumba onde repousam suas cinzas. Quer me afastar deste lugar, onde acredita que não sou digno de estar?

Ao escutar tão estranhas palavras, Genoveva não teve forças para responder. Percebia, através delas o enorme arrependimento que seu esposo tinha, mas eram tamanhas sua emoção e sua debilidade que seus lábios não conseguiram se abrir, e ela só pôde continuar escutando:

— Afaste-se de mim, alma, pois só a sua presença me tortura de novo, me fazendo recordar todo o drama passado! Retorne para a sua morada celestial, na qual merece estar, e rogue a Deus por mim, que não posso encontrar tranquilidade por causa de meu crime. Mas não, não se vá! Sua presença me angustia e me acalma ao mesmo tempo. Se eu pudesse vê-la resplandecente de luz e não com este triste aspecto! Então, me pareceria disposta a me conceder seu perdão.

Finalmente, a emoção de Genoveva foi tão intensa que os soluços brotaram de sua garganta. E como se eles lhe tivessem devolvido a palavra, pôde ao fim balbuciar:

— Não sou um espírito, Sigfrid! Não pense que está diante de uma aparição. Sou eu mesma, Genoveva, meu esposo, eu mesma, em corpo e alma... Muito temi ultimamente perder este corpo, pois a enfermidade o minava, mas pude conservar a vida, e agora já sei o motivo. Era porque nos encontraríamos novamente!

Vendo que o espanto de Sigfrid era crescente, pois a encarava com os olhos dilatados pelo horror, seguiu dizendo com suavidade e ternura, entre lágrimas:

— Duvida do que eu disse porque pensa que me assassinaram. Iam fazê-lo, é verdade, mas não foi assim. Supliquei a meus verdugos que nos deixassem no bosque, e assim pude salvar minha vida e a de nosso filho.

O conde continuava imóvel, como petrificado, sem poder articular uma só palavra. Escutava as frases de sua esposa, mas tão turbada se achava sua mente, que mal entendia seu significado. Só seguia olhando-a fixamente, ainda com a crença de que se achava ante um fantasma.

Quase sem poder se mover por causa de seu medo, a viu avançar lentamente para ele. Quis fugir, apavorado, mas tinha a impressão de que seus pés estavam cravados no solo. Aproximando-se dele, Genoveva pretendia que ele se convencesse de que era realmente um ser humano. Quando chegou perto, estendeu a mão para tocá-lo, a fim de que ele se certificasse por fim de que não era nenhum espírito. Mas seus dedos estavam tão frios, que a seu contato, Sigfrid pulou para trás, exclamando com voz estremecida:

— Sua mão está gelada! Não é a de um ser vivo, e sim a de um cadáver! Não há vida nela... Afaste-se... afaste-se de mim!

Impressionada, por sua vez, por aquelas palavras cheias de pânico, a pobre mulher retrocedeu alguns passos penosamente. Mas então viu com enorme assombro que Sigfrid avançava, até chegar junto a ela para dizer febrilmente:

— Não, não se afaste! Aproxime-se... pegue minha mão e me leve ao sepulcro. Prefiro a morte a este suplício. Não posso seguir vivendo com tanta tortura!

Ao vê-lo tão angustiado, a ternura compassiva de Genoveva cresceu, e sua expressão foi realmente angelical, apesar do semblante extenuado, quando murmurou:

— Acalme-se, meu esposo, querido Sigfrid. Acalme-se. Está obcecado pela ideia de que sou um fantasma, mas não é assim. Não se dá conta de que minha presença é humana, de que minha voz, ainda que seja débil, surge de lábios verdadeiros? Olhe-me bem e se convencerá de que não sofre de nenhum delírio. Verá que sou sua esposa, que ainda vive, e que de agora em diante seguirá vivendo para você.

Recordando logo o anel que ele a havia presenteado, levantou a mão, e colocando-a diante de seus olhos, acrescentou:

— Olhe este anel que me presenteou… toque-o. Sempre o conservei como uma recordação sua, e ao contemplá-lo, vinham à minha mente muitas recordações boas, que me ajudavam a subsistir.

Vendo que, ainda que parecesse mais calmo, Sigfrid ainda não estava convencido, preso ainda naquela espécie de pesadelo, Genoveva levantou os olhos ao céu, angustiada, e suplicou:

— Meu Deus! Abra os ofuscados olhos de meu esposo para que possa reconhecer-me! Tire-o do estado em que ficou ao ver-me inesperadamente, depois de tanto tempo me achando morta!

Como se estas palavras da improvisada prece já lhe ajudassem, Sigfrid piscou, como se despertasse de um sonho. Seu terror ia diminuindo e a clareza voltava à sua mente. Pouco depois, contemplando-a com uma nova expressão, como se só então pudesse comprovar seus contornos humanos, exclamou:

— Oh! Agora vejo que é você realmente, Genoveva, minha querida esposa!

Caiu de joelhos, aniquilado por sua profunda emoção, e permaneceu um longo momento sem pronunciar nenhuma outra palavra, contemplando somente o extenuado rosto da mulher. Por fim, explodindo em um pranto incontrolável, acrescentou:

— Sim, é você, mas, olhe como está! Que aspecto tem! Por minha causa se encontra em tão lastimável estado. Por culpa de um louco impulso meu, teve que viver abandonada durante todos estes anos. Será possível que possa perdoar-me, quando eu mesmo estou horrorizado com o meu proceder e não me atrevo a levantar?

— Não tenho nada a perdoar, meu esposo — replicou Genoveva, com lágrimas resvalando por suas faces. — Nunca o culpei de nada, pois sabia que só agiu impulsionado pelo ardil de um malvado. Estava certa de que ao se acalmar, sofreria muito e também padecia por você. Nunca o esqueci, Sigfrid e neste desterro, onde tantas horas tinha para fazê-lo, orei muito por você.

Vendo que, apesar de tudo quanto lhe dizia, ele continuava a seus pés, acrescentou amorosamente:

— Levante-se e venha para meus braços! Não compreende ainda que não lhe guardo nenhum rancor?

Ele levantou-se, e enquanto a abraçava fortemente, disse, dolorido ainda, sem poder sobrepor-se àquela sensação de vergonha:

— Como é possível que não me guarde rancor e que não reprove? Deve ter sofrido muito neste lugar. E eu sou o responsável por isso.

— Nada acontece sem que Deus o queira. Em tudo vemos Sua mão, ainda que às vezes não saibamos compreender o porquê do que ocorre. Se Ele assim o dispôs, é sinal que foi para o bem. Quem sabe se a opulenta vida de nosso palácio me teria feito esquecer os conselhos de meus pais! Agora, depois de ter purificado meu coração neste deserto, isto já não será possível.

Sigfrid ia responder, quando de repente chegou *Desditoso*, andando descalço por cima da neve. Debaixo de um braço levava um monte de ervas frescas e comia uma raiz tenra. Ao ver aquele desconhecido personagem, tão luxuosamente vestido, com o brilhante elmo adornado com penas na cabeça, ficou muito impressionado.

Mas ao ver que sua mãe tinha o rosto cheio de lágrimas, supôs que o desconhecido queria causar-lhe algum mal, ao que exclamou impetuosamente:

— O que foi, mamãe? Quem é este homem? É um daqueles malvados dos quais me falou? Não chore! Eu a defenderei.

Estendendo os braços para seu filho, Genoveva replicou sorrindo:

— Nada de mal me ocorreu, pequeno. Olhe sem temor para este cavaleiro. É seu pai, filhinho, de quem já lhe falei! Beija-lhe a mão. Vê como também está emocionado? O Senhor o conduziu até aqui para que possa nos levar a seu castelo, que é igualmente o nosso.

A criança, ainda junto de sua mãe, levantou os olhos para Sigfrid, que o contemplava profundamente comovido. Era tão parecido com ele! Orgulhava-se ao vê-lo tão saudável e bonito, mas ao contemplar a tosca pele de cordeiro com que o cobria e seus pés desnudos, a piedade se juntou à sua satisfação e o fez exclamar com voz vibrante:

— Meu pobre filho! Dê-me um abraço!

A criança correu para ele, e durante alguns momentos, ambos ficaram fortemente abraçados. Depois Sigfrid, sem soltar por completo do pequeno, abraçou também Genoveva pela cintura, e levantando seus olhos, brilhantes ainda pelas lágrimas, para o céu, acrescentou:

— Infinitas graças, meu Deus, por esta inesperada mercê! Não mereço a imensa felicidade que inunda meu coração. Encontrei ao mesmo tempo meu querido filho, a quem acreditava morto, e a minha adorada esposa, que parece ter ressuscitado para mim.

Genoveva levantou igualmente os olhos e se uniu à sua ação de graças, dizendo:

— Também eu lhe agradeço com toda minha alma, Senhor! É tão pródigo em suas bondades, que em alguns instantes pode nos compensar por anos de sofrimento. Louvado seja, meu Deus, por toda a eternidade!

Desditoso, ao ver seus pais unidos naquelas espontâneas preces, sentiu também o desejo de elevar sua alma a Deus, como sua mãe o havia ensinado a fazer, e juntando suas mãos fervorosamente, repetiu as últimas palavras de Genoveva, dizendo:

— Sim, meu Deus. Louvado seja, por toda a eternidade!

Durante um momento, os três permaneceram naquela atitude, como se quisessem fazer o Criador participar da imensa felicidade que lhes invadia, elevando para Ele preces mentais, com essa muda linguagem que nenhuma língua humana é capaz de expressar.

Passados aqueles instantes em que todos estiveram como que imersos em um êxtase inexprimível, Genoveva, a qual sentia que seu corpo quase exausto voltava a reviver, com o calor daquela felicidade reencontrada, foi quem rompeu o silêncio. E a primeira pergunta que lhe brotou dos pálidos lábios foi:

— Meu esposo, sabe se meus pais ainda vivem?

— Sim, querida, ainda vivem.

Aliviada por aquela resposta, seguiu perguntando:

— Gozam de boa saúde? Duvidaram de minha inocência ao conhecer minha sentença? Que pena sinto ao pensar neles! Devem ter sofrido muito. Há sete anos que me acreditam morta, e que não soubemos nada uns dos outros...

Com voz suave, acariciando seu rosto, o conde respondeu:

— Eu sempre tive notícias, e sempre me preocupei com eles, e pelo que me consta, têm uma velhice tranquila. Sofreram e ainda devem sofrer por você, mas sempre acreditaram que era inocente, e Deus deve ter mitigado sua dor no transcurso dos anos. Assim que chegarmos ao nosso castelo, lhes enviarei uma mensagem para comunicar-lhes a extraordinária nova de tê-la encontrado viva.

Genoveva, sentindo que sua pena por eles se mitigava ao considerar que logo experimentariam tão grande alegria, voltou a elevar seus olhos ao céu, que tão acostumados estavam ultimamente a levantarem-se assim, e com um tom que expressava a imensa gratidão que inundava sua alma, exclamou:

— Louvado seja mil vezes, meu Deus! Não me cansarei de agradecer esta grande mercê! Escutou minhas fervorosas orações, realizando os mais veementes desejos de meu coração. Concedeu-me todas as graças que Lhe pedi, e mesmo aquelas que me pareciam mais difíceis de alcançar. Meu esposo regressou são e salvo da guerra, tal como supliquei. Fez que minha inocência transparecesse, por fim. Trouxe-o aqui para que meu desterro neste lugar pudesse terminar, e me livrou desta solidão como antes me livrou da prisão e da morte.

Deteve-se um pouco para tomar alento, pois falava com uma veemência surpreendente em uma pessoa tão débil, mas imediatamente prosseguiu dizendo:

— Graças ao Senhor pude apresentar meu filho ao seu pai, e agora, ao regressar, poderei ter a grande sorte de voltar a ver a meus queridos pais. De que modo poderei agradecer tantas graças? Irei tentar, Senhor, durante toda a vida.

Enquanto estavam imersos no êxtase que lhes produzira o inesperado encontro, mal se deram conta do frio reinante. Mas então, ao sentir um estremecimento, Genoveva tomou a mão de seu esposo e o conduziu ao interior da gruta, onde a temperatura era mais suportável.

Sigfrid era tão alto que não podia permanecer em pé dentro da gruta sem se inclinar, e foi deste modo que contemplou as paredes úmidas, o leito de musgo, as abóboras que serviam de vasilhas, as cestas de vime que Genoveva fabricara... Novamente a dor o invadiu ao considerar de que modo aqueles pobres seres conseguiram viver durante sete anos. Era um verdadeiro milagre que tivessem conseguido subsistir.

Então contemplou a tosca cruz de galhos colocada em um oco da rocha, emocionando-se ao deduzir que nela sua pobre esposa havia tentado buscar consolo em momentos de desespero. Finalmente, voltando para eles os olhos, cheios de lágrimas que tentava conter, disse:

— Ao ver toda esta miséria, meu remorso torna a me mortificar. Como é possível que tenham vivido neste lugar, privados quase por inteiro de recursos, durante vários anos? Realmente, a Providência de Deus tem que tê-los acompanhado sempre. Sete anos sem comer pão, sem fogo para cozer os alimentos ou aquecê-los no inverno! Este monte de musgo era tudo o que tinha como leito, não é?

— Sim — respondeu Genoveva, sem poder evitar a recordação das privações sofridas. — Íamos renovando-o de vez em quando. Primeiro eu o fazia sozinha, mas depois, nosso filho me ajudava também.

— Pobrezinho... rápido teve que aprender a se valer por si mesmo. E suas roupas! Peles de animal! Vivendo quase como os próprios animais, e expostos, além disso, aos ataques das feras.

Genoveva pensou em seu encontro com o lobo, que lhe proporcionara a pele de ovelha que a cobria em parte, mas nada disse naquele momento, pensando que depois teria ocasião de explicar-lhe tudo. Então, tomando-o por um braço, o fez sentar sobre o musgo, sentando-se ela também por perto. *Desditoso* estava acariciando a cerva, que descansava ao seu lado. Sigfrid seguiu dizendo:

— E quem enfrentou e sofreu tudo isto é filha de um duque, que noutros tempos comia em vasilhas de ouro e prata! Que enorme diferença entre seus luxuosos vestidos de antigamente e esta tosca improvisação que teve que usar! Foi educada com suma atenção, servida por fiéis criados, cuidada com todo o esmero, e, em troca, aqui a miséria mais completa foi sua companheira. Como pode ainda me amar, depois de haver padecido tanto por minha causa?

Com um sorriso que demonstrava a grande felicidade que a possuía, Genoveva respondeu:

— Não pense que só tivemos desgosto. Também grandes alegrias, ainda que lhe pareça estranho, pois aqui eu aprendi a conhecer e amar ainda mais a Deus e pude ensinar ao nosso filho as maravilhas da natureza. Por outro lado, também não existe desgraça e infelicidade nos palácios, em meio aos prazeres e às riquezas? O dinheiro e a elevada posição não trazem sempre a felicidade, e agora percebo que às vezes são causadores de sofrimento e de pecado. Você mesmo, apesar de viver em seu castelo rodeado de luxo, não sofreu ultimamente? Nem seu patrimônio, nem seus poderosos amigos, nem sua linhagem puderam evitar esse constante sofrimento, não é verdade?

— Tem razão, minha esposa, e não sabe o quanto, pois houve ocasiões em que temia enlouquecer de dor. O desespero me dominava por completo, e creio que só graças a Deus, a quem não deixei de rogar, posso agora contemplá-la novamente, pois cheguei a pensar na morte como única libertação.

— Não se atormente mais com isso, Sigfrid — rogou Genoveva, ternamente.

— Agora que tudo passou, vamos esquecer! No fundo, não há coisa ruim que não nos traga um bem, e essa terrível experiência irá nos servir de agora em diante. Por outro lado, você já viu que a Providência Divina não nos abandonou nunca. Olhe para seu filho. Notou o quão saudável e robusto ele é? Pois não se alimentou com mais do que os manjares silvestres que essas paragens nos proporcionaram, além do leite que nos proporcionava esta fiel cerva, que foi sempre nossa fiel companheira.

— É surpreendente, de fato, que com alimentos tão simples possa ter crescido tão forte e bonito, mesmo sendo verdade que Deus colocou verdadeiras maravilhas nas plantas e nos frutos.

— Nós pudemos comprovar isso. Além do mais, sempre respirou ar puro e tomou bastante sol, que é tão benéfico para os corpos, na medida certa. Quem sabe se em nosso castelo, criado com excessivo mimo e cuidado, tivesse crescido doente ou fraco, como alguns filhos dos poderosos, postos a perder por demasiada atenção. Ou talvez alguma cruel enfermidade o tivesse arrebatado, enquanto que aqui, exceto por um forte resfriado que sofreu durante o inverno, nunca teve nada. Alegremo-nos, pois, e demos graças a Deus por isso!

Estendendo os braços para o pequeno, que os escutava atento, chamou-o para si. Genoveva colocou *Desditoso* entre ambos, sentindo que a felicidade que experimentava lhe tirava boa parte de sua debilidade, que era moral principalmente.

— Explique-me mais sobre sua estada aqui, querida esposa — pediu Sigfrid. — Ainda me custa compreender como conseguiu subsistir durante tanto tempo.

Genoveva começou a contar-lhe os fatos mais relevantes de sua vida naquele desterro, começando pelo momento da chegada à gruta e do encontro com a cerva, que de tanta utilidade lhes havia sido em todos os sentidos. Contou-lhe do que comiam, de como ordenavam seus dias, tão iguais a princípio, mas que logo, no decorrer do tempo, foram se matizando com certa variação.

— Aqui pude meditar muito — ela falava. — Apreciando as flores, os frutos, as árvores, a água, o céu... tudo me sugeria diversas coisas, me fazendo compreender a grandeza do Criador. Também me faziam refletir muito sobre as parábolas de Jesus, pois sabe que Ele costumava dar exemplos referentes a tudo o que O rodeava. Isso me consolava, e também ao nosso filho, depois que lhe expliquei quem era Jesus, e tudo o que havia feito, de como nascera numa gruta, como esta, tendo vivido com simplicidade. Isso me dava ânimo para suportar tudo.

Sigfrid a escutava, comovido e maravilhado. A extraordinária alma de sua esposa ia se revelando cada vez mais, e se quando se uniu a ela pelo sagrado vínculo do matrimônio, a amava e admirava, agora seu amor por ela e sua admiração por suas virtudes e a profundidade de seu pensamento eram muito maiores. Genoveva seguia dizendo:

— Também serviram ao nosso filho as instruções que pude dar-lhe graças à meditação, e de agora em diante saberá discernir muito melhor o verdadeiro do falso, o essencial do supérfluo. Creio que os anos passados aqui, tão em contato com o real, sem mistura alguma de ficção, o impedirão no futuro de adquirir os vícios, tão comuns, da hipocrisia, do orgulho estúpido e da vaidade perniciosa. Ele aprendeu na melhor escola, Sigfrid, e nossos anos passados aqui não foram vãos para nenhum dos dois, posso lhe assegurar.

— Isso me tranquiliza em parte, Genoveva, e alivia bastante meu remorso, pois Deus nunca age sem motivo, como também neste caso, para que assim acontecesse. Ainda que por isto não me considere menos culpado, no futuro, cuidarei muito para não me deixar levar por nenhum impulso.

Genoveva queria lhe contar os pormenores de tudo quanto lhes havia acontecido, mas pouco mais pôde relatar, já que, apesar de tudo, a fadiga voltava a dominá-la. Ainda que a inesperada presença de seu querido esposo lhe tivesse dado muita força moral, o corpo, debilitado pela última enfermidade, exigia também atenções.

Percebendo isso, Sigfrid lhe rogou que não falasse mais, pois teriam tempo de sobra de agora em diante para colocá-lo a par de tudo, e então, impressionado pelo relato, virou-se para *Desditoso*, e olhando-o amorosamente, disse:

— Tenha sempre em mente, meu filho, o modo maravilhoso com que Deus cuidou de vocês nesta solidão. Eu, em um arrebatamento de cólera, os condenei à morte, mas Ele comoveu a alma dos verdugos para que os salvassem. Então se encontraram neste deserto, sem recurso algum, e no primeiro instante Ele já colocou junto de vocês esta nobre cerva, que com seu alento lhes reanimou as forças, especialmente a você, filho, que por ser tão pequeno, não podia comer outra coisa.

A criança escutava atentamente a seu pai, que continuou:

— Ele os protegeu do ataque das feras, preservando-os também no possível das inclemências do tempo. E agora, quando sua mãe não podia suportar mais, devido, sem dúvida, ao terrível inverno que passaram, Deus dispôs que sua querida cerva saísse ao meu encontro, para que me servisse de guia, ao fugir de minha perseguição, conduzindo-me até vocês. Vê, meu filho, até onde chega a Providência do Senhor? Devemos prometer que no futuro, e ainda que as provas que nos envie forem duras, jamais deixaremos de confiar n´Ele, que demonstrou ser tão generoso!

17
REGRESSO TRIUNFANTE AO CASTELO

Mais tarde, Sigfrid, sua esposa e *Desditoso*, acompanhados da leal cerva, abandonaram a gruta Genoveva e seu filho, com emoção, pois ali havia sido sua morada durante sete anos. Quando tinham já andado um bom trecho, chegaram a um clarão do bosque no qual Sigfrid se deteve, sendo seguido por sua esposa e a criança. Viram-no então pegar o corno de prata que trazia ao cinto e soprá-lo fortemente, inundando com seu sonoro eco a calma do bosque.

O pequeno nunca tinha visto, naturalmente, um instrumento como aquele, e perguntou ao seu pai o que era. Ele explicou, afavelmente, e a criança quis tentar soprar no corno, assim como tinha visto Sigfrid fazer, mas só conseguiu emitir uns sons imprecisos que fizeram rir Genoveva, a qual sentia que a plena felicidade de viver retornava.

Os cavaleiros que acompanhavam Sigfrid na caçada já o estavam buscando nos arredores, achando estranho não encontrá-lo. Temiam até que lhe tivesse acontecido algum acidente. Então, atraídos pelo corno, apressaram-se a se aproximarem do lugar de onde partia esta chamada.

Os cães de caça foram os primeiros a indicar em qual lugar deviam encontrá-lo, e para lá se dirigiram todos, aliviados da inquietação que haviam experimentado com sua ausência. Os cavaleiros e serventes que tomavam parte na caçada não tardaram muito a chegar ao clarão do bosque onde os três se encontravam.

Ao chegar, ficaram estupefatos quando viram que junto ao conde havia uma mulher pálida e delgada, com o longo cabelo solto e a capa de Sigfrid, vermelha e forrada de pele, por cima. E se assombraram ainda mais ao ver que o conde trazia uma criança nos braços.

Aproximaram-se rapidamente do grupo, pois notaram que o conde tinha os olhos cheios de lágrimas. Já estava mais calmo, mas ao ver seus amigos, a emoção voltou a dominá-lo. Quando eles chegaram até eles, o conde disse:

— Nobres amigos e fiéis serventes, vejo que estão intrigados e um pouco angustiados ante este quadro que contemplam. Ainda que vejam lágrimas em meus olhos, estas são de alegria. Hoje é um dia de glória para mim! Voltei a encontrar os seres a quem acreditava ter perdido para sempre. Minha esposa Genoveva e meu filho!

A surpresa estampou-se em muitos dos semblantes ao escutarem tais palavras. Muitos haviam conhecido Genoveva, mas mal podiam reconhecê-la naquela desfigurada mulher. E também se perguntavam em seu íntimo:

— Mas como? Não estava morta? Não foi assassinada, junto com seu filho?

— Não era verdade o que nos contaram?

— Onde a condessa esteve durante tanto tempo?

De qualquer maneira, e, ainda que no momento não pudessem compreender o acontecido, todos experimentaram uma grande alegria. Aqueles que haviam conhecido Genoveva, porque sabiam de sua bondade e suas virtudes, aqueles que não a conheceram antes, porque escutaram falar da terrível injustiça que se havia cometido contra ela, e a admiravam como a uma mártir.

Os cavaleiros que antes tiveram a felicidade de conhecê-la acudiram a beijar sua delgada mão, emocionados, e diante daquela homenagem espontânea, ela não pôde evitar que as lágrimas corressem livremente. Seu semblante era agora muito diferente, em comparação ao bonito rosto do qual eles se lembravam, mas seu sorriso ao corresponder-lhes era o mesmo, pois a felicidade e a gratidão o tornavam de novo angelical.

O conde relatou brevemente a seus amigos o insólito acontecido, explicando ao final a providencial maneira com que havia conseguido chegar até a gruta em que eles habitavam. E então, para não se demorar mais, chamou seus servidores, que também haviam demonstrado respeitosamente sua alegria à senhora, e lhes deu ordens.

Chamou logo dois cavaleiros dos que o acompanhavam e lhes pediu que fossem ao castelo para voltar o quanto antes com um vestido para a condessa e uma liteira para conduzi-la à sua residência. Encarregou-os também de pedir aos serventes que ficaram no castelo, para que preparassem uma recepção à altura do retorno de Genoveva e de seu filho.

Vários servidores, então, saíram em direção ao lugar onde estavam os suprimentos e equipamentos, enquanto outros se ocupavam em recolher abundante lenha, a fim de acender uma grande fogueira, com o intuito de preparar comida para todos.

Ao regresso dos servidores, Sigfrid pegou um tapete, que colocou no chão, e fez sentar Genoveva, a qual já havia protegido com sua capa vermelha, forrada de pele, dando-lhe um lenço finíssimo para que cobrisse a cabeça.

Ainda que já lhe tivessem rendido sua espontânea homenagem, os nobres acudiam então a falar-lhe, afetuosamente comovidos, expressando-lhe com sentidas frases o enorme contentamento que lhes causava vê-la sã e salva depois de a terem julgado morta durante tantos anos.

Quanto a Wolf, que havia permanecido a certa distância, respeitosamente, ainda que sua alegria e emoção fossem maiores que as dos demais, só se atreveu a aproximar-se depois que os nobres expressaram seus sentimentos. Desde o primeiro instante havia ansiado se aproximar dela, mas ainda que soubesse que o conde o considerava mais como a um amigo do que como a um escudeiro, nem por isso deixava de levar em conta sua posição subalterna.

Aproximou-se, no entanto, naquele momento, e ajoelhando-se aos pés da condessa, beijou aquela mão pálida que, ao divisá-lo, Genoveva lhe estendeu no instante, contente de voltar a vê-lo, e murmurou com voz estremecida pela emoção:

— Senhora, ainda que fosse só para ver este dia, daria graças a Deus pelos sarracenos não terem cortado minha cabeça. Agora, mais do que nunca, sinto alegria de haver saído com vida de tantas batalhas, pois este é realmente um grande dia para mim. Agora já posso morrer tranquilo!

Depois, tomando entre seus fortes braços o menino, que se achava sentado junto à sua mãe, o beijou em ambas as faces com efusão, dizendo-lhe:

— Seja bem-vindo, menino! Considere-me como seu fiel servidor e leal amigo. É muito parecido com seu pai no semblante e não duvido que será também valente e generoso como ele. Espero que seja igualmente bom e amável como sua mãe, e piedoso como os dois.

A princípio, o menino havia se sentido intimidado com a presença de tanta gente, mas vendo que todos os que se aproximavam para falar afetuosamente com sua mãe também demonstravam muito carinho para com ele, foi cobrando confiança e saiu de seu silêncio.

Todas as novidades que seus olhos viam chamavam sua atenção e o deixavam maravilhado. A princípio se limitava a contemplar tudo estupefato, sem se atrever a perguntar nada, nem a se mover. Mas depois de ficar sentado junto à sua mãe, refugiando-se inconscientemente nela, sentiu-se mais tranquilo e, levantando-se, foi olhar todos os utensílios que os serventes tiravam das bagagens para fazer a comida.

Resultavam tão surpreendentes e variados para seus olhos – que durante sete anos haviam visto tão poucas coisas de uso humano – que continuamente lançava exclamações de assombro e fazia perguntas ingênuas, as quais faziam sorrir os cavaleiros e serventes a quem interrogava.

Mas logo, pelas suas perguntas, iam percebendo a notável inteligência que possuía e por sua vez foram fazendo-lhe perguntas a respeito de sua vida naquela solidão durante aqueles anos, ficando maravilhados com suas respostas tão profundas, pouco comuns para um menino de sua idade.

A todos respondia e tratava com doçura, mas quem mais o apreciou, desde o primeiro momento, foi o fiel Wolf, pois uma corrente de simpatia estabeleceu-se rapidamente entre eles.

Havia-lhe causado boa impressão ver os cavaleiros em seus briosos corcéis, e da mesma maneira que certos habitantes de povoados primitivos, que da primeira vez que avistam um homem a cavalo, acreditam que ambos os seres são um só, o menino perguntou, então, ao seu pai:

— Diga-me, papai, existem homens com quatro pés?

Aqueles que estavam ao seu redor sorriram, e um dos cavaleiros desmontou então, para mostrar à criança o cavalo. O pequeno o contemplou com muita atenção, pois nunca havia visto animal semelhante, e disse logo:

— De onde tirou estes animais tão incomuns, papai? Nestes bosques nunca vi nenhum como este, nem sequer parecido.

Sigfrid ia responder quando o menino, tendo visto o bridão do cavalo, que era de prata com adornos dourados, achou ter compreendido o motivo de nunca ter encontrado um daqueles no bosque, pois acrescentou rápido:

— Ah! Já entendi por que não existem por aqui. Isto é ouro, não é? Como o anel de mamãe. E se estes cavalos comem ouro, aqui não encontrariam este pasto.

Wolf se adiantou então, em seu afã por instruí-lo, e corrigir seu erro, explicando-lhe logo a utilidade dos freios. Enquanto isso, os serventes que foram em busca de lenha chegaram, e amontoando-a perto do lugar onde estava Genoveva, para que seu calor a reanimasse, acenderam um bom fogo.

Desditoso, ao ver as chamas se elevarem, e notando seu esplendor dourado, que jamais vira, correu para sua mãe, algo assustado.

— Oh, mamãe! O que é isto?

— É o fogo, meu filho, do qual já lhe falei — ela o tranquilizou.

— Mas, de onde saiu? Os homens foram buscar estes raios nas nuvens? Ou é Deus quem os enviou?

Genoveva tratou de explicar-lhe de que modo se conseguia o fogo, e o menino, ao notar o calor que desprendia, disse satisfeito:

— Oh, que bom ficar perto dele! É um verdadeiro presente dos céus. Você já tinha me falado disso, mas nunca imaginei que pudesse ser assim. Se o tivesse conhecido antes, então, ao estar na gruta, teria pedido a Deus que me voltasse a dá-lo. Quanto nos teria servido para tanto frio! Não é, mamãe?

— Sim, meu filho. E precisamente por termos precisado dele, assim como de outras muitas coisas, saberemos apreciá-lo mais justamente.

Mais tarde, durante a comida, *Desditoso* teve novamente motivos para se assombrar. E isso era muito natural, visto que até então só havia experimentado pouca variedade nos alimentos, e todos silvestres. A cada novo manjar que lhe apresentavam, lançava exclamações de assombro, as quais enchiam de regozijo e satisfação aos presentes, reunidos em harmoniosa camaradagem.

Também chamaram a atenção da criança certas frutas, as quais nunca tinha visto. E ao vê-las tão belas, disse ingenuamente:

— Que pena ter que comê-las, são tão bonitas!

Durante a refeição lhes havia feito rir também com sua observação sobre os copos de cristal nos quais se serviam os comensais. Tinha um a seu alcance, e com olhos muito abertos pelo estupor, estendeu seu bracinho e o tomou em sua mão. Assim ficou durante alguns momentos, e notando com assombro que permanecia igual, exclamou estupefato:

— Como é possível que não se derreta, se o tenho nas mãos? Não são feitos de gelo?

Todos riram, mas depois lhe explicaram pacientemente de que material era feito o copo e que servia para beber. Fizeram-no olhar através dele, e o menino ficou admirado com sua transparência. Estava tão assombrado por tantas novas maravilhas que estava vendo, que não pôde deixar de dizer:

— Quantas coisas maravilhosas que Deus criou! E que eu vivia sem saber sequer que existiam.

Mas nem todas as novidades, novidades para ele, lhe causavam regozijo, pois houve um instante durante a comida no qual se assustou verdadeiramente. Foi quando passou junto a ele um pajem, com uma grande bandeja de prata, tão brilhante que parecia um espelho. Casualmente Desditoso voltou a cabeça quando ele passava, e ao ser refletido em sua superfície, se espantou.

Não se reconhecendo, achou que era outra pessoa que se encontrava naquela bandeja. Ao expor seu ponto de vista, um dos cavaleiros, tentando dissipar seu espanto, disse ao pajem:

— Traga essa bandeja para que o menino veja que não há nada de estranho nela.

Assim o fez o servente, e o mesmo cavaleiro lhe disse, então:

— Pegue-a em suas mãos e olhe bem.

O menino assim o fez, não de todo tranquilo, no entanto, tentando em vão saber onde se ocultava aquele menino que o estava encarando. "É impossível que alguém caiba dentro de uma coisa tão delgada", pensou. Mas então se deu conta de que, quando falava, o menino refletido ali também falava, e então a seu medo seguiu-se um crescente regozijo.

Ele começou a rir, e o menino da bandeja também! Expressou seu assombro pelo feito e trataram de esclarecê-lo, fazendo-o por fim compreender que aquela criança que se refletia na brilhante superfície não era outro senão ele.

A alegria de *Desditoso*, suas perguntas e as respostas que uns e outros lhe davam, animaram muito aquele banquete campestre que resultou para todos encantador. Mas quem mais apreciou tudo, ainda que emocionados no fundo, foram os pais da criança, Sigfrid e Genoveva, que sentados ao seu lado, mal podiam dizer o que estavam comendo.

Haviam chorado tanto ultimamente, separados um do outro, que agora que por conta da Providência Divina se encontraram novamente, riam alegremente com as ingenuidades de seu filhinho, e Sigfrid sentia como se a esposa e o filho tivessem ressuscitado para ele.

Durante a sobremesa, estando entretidos em uma amena conversa geral, chegou um dos cavaleiros que Sigfrid havia mandado ao castelo para trazer roupas e uma liteira para Genoveva. Ele disse que seu companheiro havia se demorado um pouco a fim de preparar a liteira, e que o havia precedido, para trazer antes as vestimentas, que entregou à condessa.

Esta os pegou, sem saber, por um momento, onde se trocar. Então se recordou que perto dali havia algumas rochas, que formavam uma espécie de gruta, e para lá se dirigiu. Ao colocar novamente as roupas luxuosas, dava graças a Deus por ter-lhe permitido voltar a se reunir com seu esposo e por poder usar aqueles vestidos, não porque a seduziam pelo luxo, mas por serem decorosos e quentes.

Ao sair da gruta, havia posto a cruz que fizera com os galhos, entre a pele de ovelha, e agora, beijando-a, guardou-a, pois desejava conservá-la sempre, para que as prosperidades que a vida pudesse oferecer-lhe nunca a afastassem da humildade e tirassem a reverência para com o Criador que aqueles anos de solidão haviam plasmado em sua alma.

Quando se reuniu novamente aos seus amigos, o conde mandou arranjar uma dócil mula, sobre a qual ele mesmo estendeu uma luxuosa manta, ajudando sua esposa a montar nela. Calculou que era melhor sair ao encontro dos portadores da liteira, que poderiam encontrar dificuldades em chegar até aqueles intrincados lugares.

Ele montou também em seu corcel. Junto ao mesmo havia um servente, que havia recebido o encargo do conde, o qual tomou em seus braços a criança, que estava ao seu lado, e o ergueu para Sigfrid, que o acomodou à sua frente, com grande regozijo do pequeno, que via nisso uma grande diversão.

Os demais cavaleiros também montaram em seus respectivos cavalos e, precedidos por Sigfrid, empreenderam o caminho de regresso, seguidos pelos serventes, que conduziam as mulas com os equipamentos e provisões.

Durante o trajeto, encontraram a comitiva que conduzia a liteira solicitada, presidida pelo cavaleiro a quem o conde dera tal encargo. Sigfrid, então, desmontou e ajudou sua esposa a desmontar e se acomodar na liteira, junto ao filho, retomando depois o caminho, prazerosamente.

Genoveva e seu filho pareciam estar vivendo um sonho. Há muito tempo que ela não gozava de tantas comodidades e atenções e ele, pelas circunstâncias, não as havia desfrutado nunca. Sigfrid mantinha seu corcel próximo da liteira, para que eles pudessem vê-lo sempre, e dirigia-lhes sorrisos e algumas palavras. Apesar do débil estado em que se encontrava, Genoveva estava feliz, e lhe parecia que boa parte de seus males haviam desaparecido.

A notícia do encontro de Genoveva e do menino, levada ao castelo pelos dois cavaleiros, com a ordem do conde de que preparassem para Genoveva uma recepção digna do acontecido, havia corrido como rastro de pólvora, e quando transpuseram as trilhas intrincadas do bosque e saíram para a estrada, a comitiva encontrou uma verdadeira multidão, pessoas de todo sexo e condição, que acudiam apressadas para render tributo àquela boa condessa a quem já haviam chorado como morta.

À medida que sabiam da extraordinária notícia, todos deixavam seus afazeres, abandonando imediatamente os utensílios de trabalho com grande regozijo, para se precipitarem ao encontro da senhora que sempre fora tão generosa com todos. O condado ficou quase deserto, permanecendo em casa só os paralíticos ou enfermos.

Tinham posto apressadamente seus melhores trajes, considerando que aquele dia era de grande festa e, tocando instrumentos e entoando canções, esperavam sua chegada.

Ao divisar a comitiva, todos os presentes, emocionados, começaram a entoar louvores, e quando Genoveva passava na frente deles em sua liteira, todos a saudavam com frases que lhes saíam do mais fundo do coração.

Dentre a multidão que se estendia às margens do caminho surgiram de repente dois homens, que se aproximaram da liteira. Eram Conrado e Roger, que explicaram à Genoveva que foram em peregrinação à Terra Santa para mitigar o remorso que sentiam por não tê-la conduzido a Brabante, com seus pais, em lugar de deixá-la abandonada no bosque.

Então, ao regressarem às possessões do conde, comprovaram que todos seguiam acreditando que ela estava morta, e combinaram não dizer nada do sucedido a seu senhor, Sigfrid, para não aumentar sua dor, pois davam como certo que ela já teria perecido de fome, de frio ou devorada por algum animal do bosque. Estavam pasmos agora ao vê-la sã e salva, e um deles disse:

— Como pode ser, boa senhora, que tenha sobrevivido naquele lugar durante tanto tempo? Estávamos certos de que tanto a senhora, como seu filho, estavam mortos, e disto resultava o remorso que pouco a pouco se foi infiltrando em nossos corações, e que acabou por nos converter em peregrinos.

Genoveva, estendendo-lhes afetuosamente a mão, disse:

— Fiquem tranquilos, pois não sinto nenhum rancor por vocês. Pensem que, depois de Deus, é a vocês a quem tenho que agradecer por seguir com vida.

Dirigindo-se para seu filho, acrescentou:

— Você também deve agradecer-lhes, meu filho, pois estes homens tinham ordem de nos matar, mas, arriscando-se muito, preferiram seguir a voz de sua consciência, no lugar das ordens recebidas.

— Mas fizemos tão pouco — insistiu Conrado, externando a opinião dos dois. — Pensamos então que havíamos sido muito generosos, mas com o tempo compreendemos que o que devíamos ter feito era arriscar tudo, e conduzi-la para a casa de seus pais.

Levantando então os olhos, viram Sigfrid, no qual até então, em seu desejo de falar a Genoveva, não haviam reparado, e reconhecendo-o, se prostraram aos seus pés, pedindo perdão e o agradecendo com sentidas palavras a bondade que sempre demonstrara para com suas esposas e filhos.

— Eu não sabia que vocês tinham salvado a vida de minha esposa e de meu filho — replicou o conde —, e ao socorrer suas famílias me guiei por um nobre pedido que minha esposa me fez em sua última carta, ainda que também impulsionado pelo preceito que de Jesus Cristo nos chegou e que disse: "Bem-aventurados os misericordiosos, porque eles alcançarão a misericórdia". Levantem-se, pois, e caminhemos em paz, já que agora não só seguirei ajudando suas famílias, mas também a vocês mesmos, que tão valorosos se mostraram naquela terrível circunstância.

Ambos os peregrinos se levantaram, e então se uniram à multidão que seguia a liteira na qual iam Genoveva e seu filho. Durante o trajeto, Roger dizia a Conrado:

— Vê agora como eu tinha razão ao dizer que sempre devemos praticar o bem, ainda que às vezes pareça que com ele vamos só obter nosso próprio prejuízo? Neste momento pode comprovar como, mais cedo ou mais tarde, as boas ações têm sua recompensa.

***

Quando a comitiva chegou a um lugar do terreno do qual já se divisava o castelo, todos os sinos da igreja da cidade badalaram, e foram respondidos pelas aldeias vizinhas. Todos estavam convencidos de que a salvação de Genoveva havia sido um milagre e por isto se encontravam dispostos a celebrar o regresso de sua senhora com festividades religiosas.

Ao escutar o grato som daquele conjunto de sinos, Genoveva não pôde conter o pranto, e o mesmo aconteceu a muitas das pessoas que tomavam parte no cortejo, pois foi na realidade um momento muito emocionante.

À medida que iam se aproximando do castelo, a multidão se tornava mais compacta. Havia homens que, para ver melhor a condessa, subiam nas árvores. E uma vez na cidade, a comitiva pôde ver como em todas as janelas se agrupavam pessoas, pois eram muitos os forasteiros que haviam acudido por causa do grande acontecimento.

No semblante de Genoveva se mesclava a emoção, o prazer e a modéstia, pois ainda que agradecida por aquelas aclamações e mostras de afeto, não se envaidecia com elas. Tinha seu filho sentado ao lado, ainda coberto pela pele de cordeiro. Ele havia pedido a cruz de galhos e a levava nas mãos. Sigfrid cavalgava à direita da liteira e o fiel Wolf à esquerda. Junto a ele iam os dois peregrinos, seguidos da cerva, que seguia seus bons amigos Genoveva e *Desditoso*, como um animal doméstico.

Ao passar a comitiva, se escutavam os mais variados comentários:

— Pobre condessa! — dizia uma boa mulher. — Como está extenuada! Deve ter padecido muito. Mas sua expressão é como a de uma santa.

Outra, ao ver o menino, exclamou:

— Como é bonito! Com a pele e essa cruz na mão, parece um pequeno João Batista.

Causava admiração também o fato de a cerva seguir a liteira, e vários exclamaram:

— Olhem essa cerva! Vejam de que modo sabe despertar o carinho à senhora condessa! Até os animais a seguem.

As mães, levantando em suas mãos seus filhinhos para que pudessem ver melhor Genoveva, lhes diziam:

— Está vendo esta senhora? É aquela cuja história lhe contei chorando... Antes que você nascesse a sentenciaram e todos acreditamos que havia morrido.

Em seguida, acrescentavam:

— Deve abençoar esta nobre dama e encomendá-la a Deus em suas orações, pois sempre foi como um anjo de bondade para todos nós.

Não faltavam tampouco os habitantes mais velhos do condado naquela fervorosa manifestação. Apoiando-se penosamente em seus cajados, e ainda que com menos rapidez que os jovens, esforçavam-se também para seguir o cortejo, chorando de alegria.

***

Quando este chegou à frente do castelo e a liteira se deteve à porta do mesmo, Genoveva viu que as esposas e filhas da nobreza da comarca a esperavam ali. Nada tinham combinado, mas ao saberem da notícia do regresso de Genoveva, todas haviam acudido ao castelo do conde Sigfrid, para receber dignamente a condessa.

Haviam posto seus melhores trajes, e suas mais ricas joias, pois para elas também era aquele um dia de festa extraordinária. Presidindo o grupo de damas havia uma jovem vestida de branco, na qual luzia um bonito colar de pérolas. Adiantando-se até Genoveva, ofereceu-lhe uma coroa de murtas, como símbolo de inocência e fidelidade, dizendo emocionada:

— Aceite, senhora condessa, esta merecida homenagem que lhe oferecemos. É muito modesta esta oferenda, se comparada com a que a espera na eternidade, onde receberá uma coroa muito mais rica, como prêmio por suas virtudes, mas aceite-a com a boa vontade com que lhe é oferecida.

Genoveva não reconheceu logo a linda jovem que tão emotivas palavras lhe dirigia, pois havia mudado muito naqueles sete anos, mas ao saber que se tratava de Berta, a jovem que fora tão generosa para com ela, quando se encontrava na prisão, ficou gratamente surpresa.

Uma das damas do grupo aproximou-se então da condessa, e lhe disse:

— Nobre senhora, soubemos que Berta foi a única pessoa que, enfrentando todos os perigos, deu-lhe os últimos consolos, antes de deixar a prisão. Por isso a escolhemos para que, em nome de todas, a cumprimentasse por seu regresso.

Tais palavras trouxeram a Genoveva as recordações daquela terrível noite, o que a fez exclamar:

— Como eu podia imaginar, na noite em que abandonei este castelo de maneira tão iníqua, com meu filho nos braços, como uma criminosa, que aqui eu iria voltar um dia, e de um modo tão solene e honroso? Meu Deus, o Senhor tinha isto determinado para quando tivesse finalizado minha longa e penosa prova.

Com um gesto repleto de simplicidade, estendeu as mãos e recebeu a coroa que Berta lhe oferecera, acrescentando:

— Pai Celestial... se neste mundo outorga tais recompensas à virtude, que felicidade concederá no céu aos seres que seguiram seus ensinamentos, praticando-os sempre que possível?

O leal escudeiro Wolf, que ainda permanecia ao lado de Genoveva, interveio dizendo:

— A recompensa será grande, senhora, certamente. A verdade é que a inocência não alcança sempre nesta existência a retribuição que merece, mas a verdade é que poucas vezes ressalta de um modo tão patente como a sua neste momento glorioso. Deus permite, pelo visto, que em algumas ocasiões, como esta, possamos ter uma ideia na Terra do que deve ser a felicidade do céu.

Sigfrid, que havia escutado atentamente todos, assentiu então, afirmando:

— Tem razão, Wolf. E o que aconteceu foi isto, porque assim o fez Deus, e não as mãos dos homens. Por isso resultou mais grandioso em sua espontaneidade. O Senhor quis, deste modo espetacular, deixar patente o triunfo da virtude sobre o pecado.

Todos os presentes aprovaram as palavras do conde com grandes mostras de entusiasmo. Então as jovens decidiram que as flores brancas de murta com que haviam obsequiado Genoveva, fossem desde então usadas na confecção de coroas nupciais, lindo costume que se transmitiu de geração em geração e que ainda está vigente em vários países.

Genoveva havia permanecido firme até então, pois o inesperado encontro com seu esposo parecia ter-lhe injetado vida nova, mas de repente sentiu-se de novo fatigada, por causa de tantas emoções e de seu precário estado de saúde.

Percebendo isso, Sigfrid a fez trasladar logo para seus aposentos, que não haviam sido ocupados por ninguém durante aqueles sete anos. Uma vez estando só, Genoveva deu novamente fervorosas graças a Deus pelo feliz retorno, pedindo-lhe que restabelecesse outra vez suas forças, para reiniciar suas atividades em prol do próximo.

Entre as pessoas que a haviam acompanhado até seu quarto encontrava-se a viúva do infeliz Dracón, que havia morrido por fidelidade a seus senhores, e tão injustamente caluniado. Foi uma emocionante cena a que teve lugar entre ambas mulheres, e agora, em suas orações, Genoveva se propôs ajudar também a pobre mulher e seus filhos, sobre os quais pesava aquela horrenda desgraça.

Depois de rezar, e apesar de seu cansaço, não quis deixar de fazê-lo, deitou-se, ajudada por Berta – que não a havia deixado – dormindo logo, rendida pela fadiga, mas cheia de profunda felicidade. Nem sequer ao vê-la adormecida Berta saiu do quarto. Sentou-se em uma cadeira perto do leito e se dispôs a velar o sono daquela a quem nunca mais acreditava voltar a ver.

Tal solicitude, junto às suas anteriores atenções, foi o que instigou Genoveva a nomeá-la sua primeira donzela, motivo pelo qual Berta não se separou mais dela daí em diante.

Também a família de Dracón foi transferida para o castelo, recebendo as maiores atenções por parte de Sigfrid e de sua esposa, em pagamento ao leal comportamento do infeliz, e à ignomínia de sua morte, e às penalidades das quais sua esposa e seus filhos haviam padecido, recuperando também a felicidade daqueles que, sem culpa alguma, haviam participado da enorme injustiça que sofrera a boa Genoveva.

18
WOLF A CAMINHO DE BRABANTE

Enquanto na morada do conde Sigfrid tudo era alegria, a tristeza seguia reinando, como há sete anos, no castelo dos duques de Brabante, pais de Genoveva. Ainda não haviam recebido a grata nova de que tinham recuperado providencialmente sua filha e seu neto, e, portanto, não encontravam motivos para alegrarem seus corações.

O fiel Wolf, que sempre buscava a ocasião de agradar sua senhora, se ofereceu, apesar de sua idade, a partir para o castelo de Brabante, para ser portador da extraordinária notícia aos pais de Genoveva.

Mas Sigfrid, que sabia o esforço que aquilo representaria para o fiel escudeiro, que tanto sofrera na guerra, se opôs terminantemente, dizendo:

— Agradeço, como sempre, seus bons préstimos, meu fiel amigo, mas precisamente pelo afeto que sinto por você é que irei negar o que me pede. Siga aqui ao nosso lado e escolha outro para que atue de mensageiro. É uma longa e penosa viagem, muito mais apropriada para um jovem que não ainda não gastou heroicamente suas forças como você.

Wolf insistiu, mas Sigfrid se negou novamente, agregando:

— Já se cansou demasiadamente em sua longa vida, meu fiel Wolf. Recorde-se que ao regressarmos da luta com os muçulmanos, às vezes se sentia muito fatigado, e afirmava que aquela foi a sua última viagem longa.

O fiel escudeiro não se deu por vencido, no entanto, pois se sentia rejuvenescido desde que Genoveva voltara ao castelo e àquele precioso menino, ao qual já amava tanto. Por isso insistiu ainda, acrescentando:

— Este era meu plano, realmente, mas agora me sinto com novo vigor. E lhe asseguro, senhor conde, creio que Deus me conservou a vida através de tão duras e sangrentas batalhas para me conceder a honra e a felicidade de realizar esta nova expedição, que agora não será de guerra, mas de paz. Não posso renunciar ao enorme prazer de ver como se transforma em alegria a dor destes pobres pais que acreditam que a sua filha e seu neto estão mortos. Conceda-me, eu lhe suplico, a permissão para partir.

Achando que, ainda que a alegria ultimamente vivida lhe dava ânimos, estes minguariam durante a longa viagem, prejudicando-o, Sigfrid objetou muito afetuosamente:

— Eu a concederia de boa vontade se não achasse que iria prejudicá-lo. Sente-se jovem novamente, mas não o é. E não devemos nos enganar. A viagem é longa e a estação é ainda inclemente em certos dias, apesar de que o bom tempo já se aproxima.

A decisão de Wolf, não obstante, não mudava com tais razões, e sim se reforçava a cada momento, pois sentia realmente em seu interior uma força extraordinária. Por isso replicou:

— Já considerei tudo, senhor, mas não desistirei. É verdade que já tenho idade, mas o regresso de nossa senhora parece me ter tirado dez anos de cima. A mensagem que solicito levar coroaria minha profissão de leal escudeiro, senhor. E a encerraria com um bonito broche, depois de haver realizado, e poderia dar por finalizada minha missão, e esperaria a morte satisfeito.

Sigfrid, notando que seu desejo era fervoroso, e que contrariá-lo equivalia a dar-lhe um desgosto muito forte, que seus anos de constantes serviços e desvelos não mereciam, cedeu por fim, exclamando:

— Concordo, enfim, já que se empenha tanto! Vá à estrebaria e escolha dentre meus cavalos o que lhe parecer mais leve e resistente. Escolha também doze de meus melhores cavaleiros para que o escoltem no longo trajeto. E quando estiver frente a frente com os pais de Genoveva, diga-lhes o que eu mesmo teria dito, e acrescente também o que seu bom coração lhe dita. Que Deus o acompanhe, leal amigo, e lhe devolva são e salvo para nós.

Ao se inteirar de que era Wolf quem iria levar a alegre mensagem a seus pais, Genoveva o mandou chamar, e então lhe pediu, emocionada, que transmitisse a seus pais seus sentimentos que estavam repletos de respeito e ternura filial. O leal Wolf prometeu fazê-lo, também profundamente comovido. E era tal o entusiasmo que sentia por aquela viagem que tanto prazer ia proporcionar aos dois anciões, que mal pôde conciliar o sono naquela noite.

Faltava bastante ainda para o nascer do sol quando ele, impaciente, despertou os homens escolhidos para formar sua escolta até o castelo de Brabante. Cada qual selou seu cavalo, preparando-se para a partida. Quando tudo estava pronto, partiram, levando uma bagagem bem equipada.

O fiel escudeiro, parecendo, de fato, por seu aspecto, ter rejuvenescido, ia à cabeça do grupo formado pelos doze homens, e os incentivava continuamente a galoparem com brio, como se estivessem em um campo de batalha, avançando para o inimigo.

— Ânimo, companheiros! — ele os estimulava. — Adiante, sem desfalecer!

Foi uma viagem extraordinária, já que tanto aquele dia como nos seguintes, galoparam todos ativamente desde a manhã até a noite, incentivados pelas palavras daquele que no momento representava seu chefe.

Tanto era o afã que Wolf punha na marcha que um dos que o acompanhavam, estranhando o caso e fatigado sem dúvida por aqueles trotes, não pôde evitar perguntar-lhe:

— Poderia nos dizer o motivo de galoparmos de manhã à noite, de uma maneira tão desenfreada?

Ao que Wolf, esporeando seu cavalo, respondeu firmemente:

— Disse desenfreada? Esqueceu-se de que tipo de mensagem temos a honra de levar? Não recorda que vamos acalmar o sofrimento de uns pobres pais que há sete anos acreditam estarem mortos sua filha e seu neto?

Convencido do caráter extraordinário que tinha a missão da qual estavam encarregados, continuou dizendo valentemente:

— Quando um homem pode aliviar a um infeliz que padece um grande tormento, não deve aniquilar-se por um pouco de cansaço. Quantas vezes partimos desta forma para uma guerra, só com o fim de derramar sangue e espalhar dor à nossa passagem, ainda que fosse com um motivo justo? Corramos agora, pois, para enxugar as lágrimas destes pobres seres que desde então não devem ter mais sentido a felicidade. Desejaria neste momento que meu cavalo tivesse asas. Em certa ocasião, não me recordo onde, vi pintado um cavalo alado que me causou muita admiração. Quem dera se o meu pudesse se parecer com ele nesta ocasião!

Wolf não havia parado, no entanto, para dar-lhes tal explicação, mas gritando, a fim de que o escutassem bem, e sem cessar de animar seu cavalo para que continuasse o galope, o que fizeram também os homens de sua escolta, em parte por obediência e em parte porque suas ardentes palavras o faziam experimentar o desejo de levar aquela alegria aos pobres pais da condessa.

* * *

De todo jeito, um longo descanso se impunha, pois as forças humanas têm um limite, e uma noite Wolf e seus acompanhantes se detiveram em um castelo para passar a noite e deixar que os cavalos repousassem também. Assim que o dono da residência soube o motivo que levava os valorosos cavaleiros até Brabante, disse a Wolf:

— Oh! Que contentes se sentirão esses desgraçados pais com tão inesperada notícia! Foi realmente um dia fúnebre para estes arredores aquele em que soubemos do triste caso. Ainda que ninguém tenha acreditado nas acusações que se faziam a Genoveva, muitos opinaram que se tratava de uma traição.

— Tampouco no condado do conde Sigfrid se pôde convencer à maioria. Durante sua estada entre nós, a condessa havia demonstrado bem às claras sua retidão, nobreza e bondade.

— Muito mais puderam constatar aqueles que a viram crescer, demonstrando já na infância os dotes que logo havia de mostrar plenamente. Quando se soube que o nobre conde Sigfrid queria desposá-la, a alegria se espalhou nos arredores. A recordação de suas bodas me é tão forte, como se agora mesmo a estivesse presenciando...

De repente, como se caísse na conta de algo relacionado com o que estava dizendo, acrescentou:

— Por certo que o bispo Hidolfo, que foi quem abençoou a união de Genoveva com o conde, se encontra a poucas léguas daqui. Veio abençoar um novo templo.

Ao escutar tais palavras, Wolf, que necessitava tanto de descanso como os demais, sentiu-se possuído, não obstante, daquela extraordinária energia que lhe ajudava ultimamente, e dizendo ao dono do castelo que agradecia sua hospitalidade, já não pensava em fazer uso dela, e foi ao encontro de seus companheiros de marcha, explicando-lhes o referente ao bispo Hidolfo, dizendo logo:

— Sinto muito privá-los de seu merecido descanso, mas é preciso que nos sacrifiquemos ainda um pouco mais para ir ao encontro deste santo homem, que ignoro quanto tempo irá permanecer nas cercanias.

Os cavaleiros não compreenderam, naturalmente, o porquê de tal desejo, mas Wolf explicou, acrescentando:

— Experimento a necessidade de vê-lo para pedir-lhe conselhos a respeito do modo como devo comunicar aos duques a grata nova, que, sem dúvida, irá ser muito impressionante para eles. Durante todo o trajeto me preocupei com a maneira de dizê-la, sem acertar com a solução adequada. Gostaria de chegar às portas do castelo de Brabante e exclamar com todas as minhas forças, sem mais preâmbulos: "Alegrem-se todos! Genoveva ainda vive!" Mas compreendo que não seria conveniente fazê-lo assim.

Seus companheiros, que a princípio haviam ficado contrariados, pois estavam realmente fatigados, foram aquietando-se ao ouvi-lo falar e agora o escutavam com verdadeiro interesse quando acrescentou:

— Vocês sabem que sou um velho soldado e na guerra nunca vi nada que me fizesse recuar. Pois bem; devo confessar que quando chegaram até meus ouvidos, no dia da caçada, as palavras: "Genoveva ainda vive", experimentei tão viva emoção, que um grande tremor se apoderou de mim.

Deteve-se um momento sentindo de novo uma impressão parecida, e acrescentou depois:

— Nunca poderia acreditar que uma alegria causasse tal transtorno. E penso que se tal felicidade produz uma emoção a quem, afinal, é um estranho, o que não iria produzir a estes pobres pais se de pronto lhes disséssemos esta inesperada nova sem preparação alguma? Não poderia esta súbita alegria causar-lhes um grave prejuízo, mesmo a morte, por causa de seus corações serem delicados?

Todos os homens do grupo compreenderam os motivos que Wolf tinha para lhes pedir aquele novo sacrifício e, ainda escutando-o, começaram já a encilhar novamente seus cavalos. Wolf seguiu dizendo:

— Estou convencido de que é preciso dar-lhes a notícia pouco a pouco, com suma cautela. E não sei como fazer isso, e talvez nenhum de vocês, tampouco. Somos soldados e manejamos muito bem a espada, mas não tanto a língua. E é por tal razão que creio conveniente que encontremos o bispo Hidolfo, para que ele nos ajude com seus sábios conselhos.

Convencidos por completo, e uma vez arrumados de novo os cavalos, que já haviam sido tratados, montaram outra vez neles e, despedindo-se do cavaleiro que com tanto afeto lhes acolhera, partiram ao trote em direção ao local onde ele lhes havia dito que encontrariam o santo homem.

Demoraram apenas três horas para cobrir o trajeto, e pouco depois, já se encontravam na presença do venerável prelado. Wolf, aproximando-se dele, lhe explicou brevemente o que sucedia, pedindo-lhe conselhos sobre o cumprimento da delicadíssima missão que havia de levar a cabo.

O velho bispo se regozijou extraordinariamente ao escutar daquele velho soldado a inesperada notícia do encontro de Genoveva e de seu filho no bosque. A primeira coisa que fez foi dar graças a Deus, brevemente, por ter posto fim aos sofrimentos daqueles pais tão bons, e logo prestou atenção ao assunto que lhe expunha o leal escudeiro.

— Não se preocupe, fiel amigo — resolveu depois. — Devo partir precisamente para Brabante, pois minhas funções me levam ali todo ano nesta data para celebrar uma festividade religiosa que os duques dedicam inteiramente à sua filha. Se acharem melhor, eu mesmo comunicarei aos pais de Genoveva a grata notícia com as devidas precauções. Podemos partir juntos para lá.

Wolf sentiu-se profundamente aliviado pela bendita circunstância que o afastava daquela preocupação que crescia em seu interior. Realmente, a Providência velava cada passo naquele caso. Aceitou a proposta de partir para o castelo de Brabante, e formou-se de novo a comitiva, a qual foi presidida pelo respeitável eclesiástico.

19
GENOVEVA AINDA VIVE!

Os duques de Brabante nem sequer imaginavam que poderiam receber tão feliz notícia, pois precisamente naquela época, como já sabemos, era dedicada à memória de Genoveva uma festividade religiosa, e era quando sentiam recrudescer sua dor, se abrir outra vez a ferida que a duras penas haviam conseguido fechar.

Como de costume, fizeram os preparativos para aquela jornada que era tão plena de dor para eles, dispondo ao mesmo tempo o necessário para o alojamento do bispo Hidolfo, que, apesar de tudo, sempre era esperado com ansiedade, pois sabia trazer às suas almas atormentadas um pouco de conforto.

A comitiva já cavalgava pelos arredores do castelo de Brabante, aproximando-se cada vez mais da residência do duque, e os pobres pais, ainda ignorantes de tudo, estavam reunidos em um aposento, entregues às suas dolorosas recordações.

Haviam envelhecido muito durante aqueles sete anos; seus rostos estavam sulcados por rugas precoces e seus cabelos estavam prematuramente encanecidos. Continuavam vestindo luto rigoroso desde que receberam a infausta notícia. A vida no castelo parecia ter-se extinguido. E o que antes fora uma corte brilhante, honestamente alegre, parecia agora uma grande tumba.

Aproximava-se a época em que o bispo Hidolfo era aguardado para celebrar o ofício anual pela alma de Genoveva, que se celebrava no mesmo altar onde havia tido lugar sua boda com Sigfrid, e os duques, já tendo tudo disposto, conversavam tristemente, sentados frente a frente em suas cadeiras.

— Que desgraça enorme a que tivemos que sofrer, querida esposa! Ver desonrada nossa casa ducal, que sempre foi tão considerada. Nossa ilustre família está envolta na infâmia, pois, ainda que nem nós, nem muitos, acreditemos na culpa de Genoveva, a recordação disto perdurará empanando nosso nome... mas Deus quis assim. Cumpra-se sua santa vontade!

A duquesa, sem poder evitar os soluços, replicou:

— Isso muito me dói, meu esposo, mas o que mais me entristece é recordar o modo vergonhoso que nossa querida filha morreu. Nas mãos de um verdugo! Eu havia alimentado a esperança de que, ainda que não pudéssemos vê-la sempre, acudiria ao nosso lado na hora em que fechássemos os olhos para sempre, para nos velar como a um anjo. Esta esperança jamais será realizada. Mas não iremos nos rebelar ante a vontade de Deus. Seja agora e sempre o que Ele disponha!

Enquanto isso, a comitiva de Wolf, presidida pelo venerável bispo, havia chegado ao castelo, sem que os pobres pais de Genoveva, consumidos em sua dor, percebessem nada.

O bondoso prelado estava tão ansioso por dar a alegre nova a seus excelentes amigos, ainda que tivesse já tomado suas precauções a respeito do caso, que não esperou sequer ser anunciado para entrar nos aposentos onde se encontravam os duques, que não era, por outra parte, privados, e sim um salão aberto.

Eles viram algo extraordinário no resplendor que parecia emanar da face do eclesiástico, mas nem remotamente podiam suspeitar o que trazia a seu semblante aquela alegria inusitada. Haviam se levantado para recebê-lo, mas ainda que quisessem expressar o alívio que experimentavam ao vê-lo, era mais poderosa a tristeza que lhes embargava a alma, a qual fez assomar lágrimas a seus olhos.

Enquanto apertava afetuosamente as mãos que lhe estendiam, o bispo lhes disse, sem poder evitar que a emoção afetasse também sua voz:

— Não se aflijam, meus amigos mios... Enxuguem seu pranto, pois o Senhor, em sua Providência tem sempre um consolo para aqueles que O amam.

Acreditaram inicialmente que estas eram frases de consolo, com as quais o bom prelado sempre tratava de mitigar seu intenso sofrimento, e sem inquirir nada, o fizeram sentar. Sentaram-se perto dele, se interessando cortesmente por sua viagem.

Mas ele, uma vez tendo respondido a estas primeiras perguntas, levou a conversa para outros lados. Enlaçando habilmente as frases, como havia preparado pelo caminho, recordou aos pais a passagem bíblica na qual se conta a dor que sentiu Jacob ao acreditar morto seu filho José, e a alegria que encheu depois seu coração ao saber que ele não só vivia, mas também que ocupava um alto posto na corte do faraó do Egito.

Os angustiados pais de Genoveva não acreditavam que aquela narração tivesse nenhum ponto de contato com sua desgraça, mas o tom entusiasta e, ao mesmo tempo, suave da voz do santo bispo, teve a virtude de amenizar seu sofrimento, como se dele se desprendesse já uma parte do feliz segredo que iria trocar sua aguda dor em indescritível gozo.

A duquesa, que o havia escutado com os olhos cheios de lágrimas, deixou que estas corressem livremente, ao dizer resignadamente:

— Se nos fosse dado experimentar, ainda que só por um momento, de semelhante alegria! Mas nesta vida não é mais possível, esperemos, pelo menos, poder desfrutá-la na eternidade.

O bispo estava ansioso por esclarecer de uma vez aquele assunto, mas fiel ao plano que havia traçado, de prepará-los para a grande notícia, disse então:

— Por que somente na eternidade? O Deus que nos protege é o mesmo que amparou Jacob e José, e como naqueles tempos, também agora opera milagres. O certo é que, às vezes, para que aprendamos e nos purifiquemos, permite que a dor nos lacere, mas também é verdade que logo cura estas feridas de um modo maravilhoso. O Senhor lhes preparou agora uma enorme alegria. Peço-lhes forças para resistir serenamente, como antes lhes pedi para suportar sua terrível dor.

Aqueles desgraçados seres ainda não compreendiam o que o venerável prelado queria dizer com tais palavras. Sentiam despontar uma esperança em seu coração, mas esta era vaga, imprecisa, pois não podiam sequer sonhar que, de certo modo, o caso de Jacó iria se repetir com eles.

Viram como o santo homem, elevando os olhos para o céu e juntando as mãos, como se fosse um profeta, seguia dizendo com um tom singular nas palavras:

— Hoje, em lugar de entoar na capela os cânticos lúgubres que correspondem a um ofício fúnebre, como fazíamos todo ano, vamos elevar ao céu as entusiasmadas notas do *Te Deum*, para dar graças a Deus... porque sua filha Genoveva ainda vive e logo voltarão a vê-la!

É quase impossível descrever a expressão dos duques ao escutar tal afirmação, tão extraordinária soava a seus ouvidos. Depois de terem considerado Genoveva como morta durante sete anos, a princípio não podiam aceitar semelhante felicidade. O assombro, a dúvida e a alegria se mesclavam em seu semblante e de seus lábios não podia emergir nem uma só palavra. Mas então o bispo se aproximou do umbral do aposento e chamou a Wolf para que entrasse, e apresentando-o aos duques, concluiu:

— Aqui tem ao mensageiro de Sigfrid, que irá lhes dar detalhes deste extraordinário caso.

Wolf se ajoelhou diante dos pais de Genoveva e com voz entrecortada pela emoção, disse:

— Eu lhes juro, senhores, que sua filha ainda vive. Eu a vi com meus próprios olhos, a escutei com meus próprios ouvidos e, ainda que indigno disso, beijei suas mãos.

Os ditosos pais já não podiam duvidar então, e haviam como que ressuscitado com semelhante nova. Esta correu por todo o castelo com a rapidez do raio. E por todas as partes não se escutava mais que esta exclamação:

— Genoveva ainda vive!

Todos aqueles que se encontravam no castelo se precipitaram para os aposentos onde se encontravam os duques, dominados por um frenesi de alegria. Rodearam a Wolf, impacientes, querendo saber todos os detalhes daquela milagrosa notícia. Ele explicou tudo com grande entusiasmo, e o relato fez chorar os presentes, enquanto que os duques, transtornados por aquela inesperada revelação, mal percebiam o que acontecia ao seu redor.

Ao escutarem o minucioso relato de Wolf, no entanto, foram acostumando-se à ideia, e começaram a experimentar o desejo de ver novamente a filha, que parecia ter ressuscitado. Em primeiro lugar, não obstante, precedidos pelo bispo e seguidos por todos os presentes, se encaminharam à capela para dar graças a Deus com um solene *Te Deum*. E fizeram rapidamente os preparativos para se dirigirem ao castelo de Sigfrid, para ver Genoveva, já que ela, por causa de seu precário estado de saúde, não podia ir até a casa de seus pais.

20
O DOLOROSO CAMINHO PARA A FELICIDADE

Genoveva ia se restabelecendo rapidamente. Um leve tom rosado substituía já a lividez que ultimamente havia marcado seu rosto, e seus formosos olhos azuis voltavam a recobrar o brilho que antes os fizera tão formosos. Só lhe faltava algo para que sua felicidade fosse completa, e era poder ver novamente seus queridos pais!

Tal felicidade não se fez esperar, pois, antes do que ela supunha, foi anunciada a chegada dos duques, acompanhados pelo bispo, Wolf e sua escolta. Foi emocionante o encontro da condessa com os pais. Todos choravam muito, mas desta vez suas lágrimas eram de alegria. Depois das primeiras efusões de alegria, o duque exclamou com uma emoção parecida à que em outros tempos experimentara o velho Simeão:

— Agora já posso morrer tranquilo, pois meus olhos puderam ver este memorável dia.

E a piedosa duquesa, enquanto abraçava sua filha, exclamou:

— Eu também já posso morrer contente, querida filha, já que vive e sua inocência foi reconhecida.

Desditoso fora levado até ali, e ao ser apresentado a seus avós, estes se encheram de felicidade.

— Este é nosso neto? Tão bonito e saudável! Venha nos dar um abraço!

Enquanto o beijava com indescritível carinho, o duque exclamou:

— Deus lhe abençoe, meu neto!

E a duquesa, apertando-o fortemente contra o peito, ainda não acostumada com aquela maravilhosa ideia, acrescentou:

— Isto é como um milagre! Nunca pensei que iria abraçá-lo, meu pequeno, nem voltar a ver a sua pobre mãe. Deus nos devolveu a felicidade multiplicada!

O bispo Hidolfo, que havia permanecido afastado, para permitir aos pais a natural expansão familiar, aproximou-se de Genoveva, que ainda não havia reparado nele. Sigfrid juntou-se a ela para dar-lhe as boas-vindas, levando *Desditoso* pela mão, e o santo homem, depois de dar aos três sua bênção, lhes disse:

— O Senhor cumpriu o que na época de sua boda permitiu que eu vislumbrasse. É verdade que sofreu, mas recebe agora a recompensa para seus padecimentos, pois sem dor não se pode obter a verdadeira felicidade. O caminho que conduz à eterna salvação é difícil, mas, como vê, também se encontram rosas nele, apesar dos espinhos. Durante estes duros anos, Genoveva provou sua fé e sua confiança, sua paciência e sua valentia. Pôde demonstrar sua caridade até para seus inimigos e verdugos, e enfim, todas as virtudes que possui, sublimaram-se por meio de tais provas.

Todos os presentes permaneciam em reverente silêncio, escutando as frases do digno prelado, que falava lentamente, mas com grande certeza. E então o escutaram dizer:

— Quanto a Sigfrid, pôde aprender, com essa dura experiência, os efeitos perniciosos, as incalculáveis maldades que cometem os seres ao se deixarem arrastar pelo impulso das paixões, certificando-se de quão saudável é submeter todas as inclinações ao império da razão. Sofreu muito, mas este padecimento lhe foi útil. Quanto a *Desditoso*, pode afirmar-se que naquele desterro aprendeu a amar e a conhecer a Deus, melhor sem dúvida do que o teria feito neste castelo, no qual seria rodeado de todo tipo de comodidades e distrações, as quais apartam o ser com frequência do caminho reto.

Ao escutar seu nome, dito por aquele homem de aspecto bondoso, a criança prestava suma atenção. E então, quase sem pestanejar, notando que aquelas frases eram para ele como uma lição profunda que nunca esqueceria, o escutou falar:

— Ali esta criança desenvolveu a modéstia, a sobriedade, a inocência e a humildade que são virtudes que dão bons frutos. Quanto aos pais de Genoveva, que viram seus corações destroçados por esta cruel dor, ao não encontrar consolo na Terra, onde tudo é relativo, elevaram sua alma a Deus, no qual encontraram seu maior amparo. Aprenderam dia a dia que o terreno, ainda que útil, é muito pequeno se comparado com o eterno, e que só nas coisas espirituais pode encontrar-se satisfação longa e duradoura. Obtiveram vantagens no fundo, com sua dor, pois agora já nem a morte os assusta, pois sabem que ela é somente a porta que conduz a uma nova existência.

O bom bispo deteve-se por alguns momentos, e depois de pousar seu bondoso olhar sobre todos os presentes, terminou:

— Graças à bondade de Deus, pois, todos ganhamos em conhecimento e em virtude, e devemos agradecê-Lo perseverando no bem durante toda nossa vida, certos de que se tais recompensas nos são outorgadas nesta existência, outras melhores nos aguardam na outra, se seguirmos o caminho que Ele nos traça.

21
GENOVEVA E SEU POVO

Quando circulou pelo condado a notícia de que Genoveva estava restabelecida quase por completo, uma grande multidão começou a acudir diariamente ao castelo, a fim de vê-la. A condessa, desejando fazer todo o bem possível, havia feito Wolf prometer que não dispensaria ninguém, ainda que se tratasse dos mais humildes vassalos. Em cumprimento desta promessa ele assim o fez, vendo-se então quase sempre, encher de visitantes os aposentos onde Genoveva os recebia.

Não obstante, era tal o respeito e afeto que sentiam por ela, que para não molestá-la, nem sequer falavam entre si e andavam quase sem fazer ruído, como se estivessem na igreja. Os homens conservavam os gorros em suas mãos e as mulheres levavam nos braços suas filhas, pois acreditavam que só a presença de Genoveva lhes seria benéfica.

O bonito rosto de Genoveva, algo pálido ainda, já mostrava muito melhor aspecto, irradiava uma luz espiritual que a todos lhes parecia própria de um ser celeste. Convidava-os carinhosamente a entrar e se aproximar mais dela, pois de início ficavam no umbral, timidamente, e lhes falava suavemente, mas com grande firmeza, em termos que nunca mais esqueciam, e que eram mais ou menos os seguintes:

"Meus amigos: sinto uma grande alegria ao ver que vieram me visitar. Agradeço-lhes de todo coração o grande afeto que me demonstraram, querendo repartir comigo tristezas e alegrias. Sei também que não lhes faltam sofrimentos, mas eu lhes rogo que, apesar de tudo, conservem seu amor e sua confiança em Deus, não duvidando de que dias melhores irão chegar para vocês. Não há problema que o Senhor não possa resolver, nem apuro do qual não os possa tirar, nem situação, por mais desesperada que pareça, na qual não possa nos socorrer, e quanto maior é nossa angústia, com mais eficácia acode em nosso auxílio. Deus conduz tudo a um bom fim, e o que me aconteceu é a prova disto.

"Tratem de se contentar com o que possuem, pois o importante não é ter muito, mas também apreciar o que se tem. No deserto, eu aprendi a dar valor até ao mais singelo e vocês, por escassos que sejam seus recursos, nunca serão tão pobres como eu fui durante estes sete anos. Terão pelo menos, uma casa onde se abrigar, roupas, uma cama, fogo para aquecê-los e podem comer sempre, ainda que seja só um prato de sopa quente. Isto é suficiente para cobrir as mais prementes necessidades, e eu não o tive durante todo este tempo, pelo qual agora o aprecio ainda mais."

Os visitantes de Genoveva escutavam atentamente estas explicações, que saíam do mais fundo do coração da condessa, e as gravavam em seu interior, para que elas lhes ajudassem em seus problemas e necessidades. Também com frequência podiam escutar dela frases como as seguintes:

"Não apostem sua felicidade nas riquezas da Terra, que são tão mutáveis, e que por si sós não trazem a felicidade. Procurem conservar sempre a fé em Deus e mantenham pura sua consciência, pois nisso encontrarão mais felicidade que em todos os prazeres mundanos. A fé é uma grande força que nos impulsiona a praticar bons atos e nos dá coragem contra as adversidades que tantas vezes se apresentam nesta vida imperfeita. Um coração fiel, que tenta ser reto, resulta o melhor consolo na prisão, e posso dizer-lhes isto com conhecimento de causa, pois eu o experimentei.

"Quando sentirem remorsos por uma falta cometida, pois todos as cometemos, por mais virtuosos que sejamos, tratem em seguida de se reconciliarem com Deus e busquem a ajuda de Jesus Cristo, que veio ao mundo para nos salvar. Com seu sangue nos redimiu e devemos ser dignos disso. Talvez pensemos, às vezes, que não temos pecados, mas não devemos enganar a nós mesmos, nem enganar a Deus. Sempre existem imperfeições em nós e só poderemos receber plena ajuda se o reconhecermos com humildade."

Realmente, aqueles anos passados no deserto haviam instruído e purificado Genoveva, pois era com suma facilidade que outorgava tais ensinamentos a quantos se punham em sua presença. E eram tais sua sinceridade e seu fervor, que muitos deles se propunham a seguir, dali em diante, todos os seus conselhos. Silenciosos, atentos, com expressão devota, a ouviam quando dizia:

"Um bom meio para aperfeiçoar a conduta e suas vidas, é o de escutar os ensinamentos sobre o Evangelho, pois é impossível explicar a enorme influência que exerce nas almas. Uma vez conhecidas suas máximas e conselhos, tentem colocá-las em prática e verão como aos poucos irão obter a mais pura e verdadeira felicidade que se pode possuir nesta vida."

Depois de dar-lhes estes conselhos, ou outros parecidos, apertava a mão de um por um, afetuosamente, rogando-lhes para que recordassem tudo quanto lhes havia dito e o praticassem, para seu próprio bem e o bem do próximo.

22
OS CONSELHOS DE GENOVEVA

Às vezes se dirigia especialmente aos maridos e às suas esposas, dando-lhes conselhos apropriados a seu estado; nestas ocasiões se referia mais aos pais de família e aos filhos, fazendo sempre saudáveis reflexões; ao falar aos casados, lhes recomendava que se amassem sempre e se ajudassem mutuamente em toda ocasião, fazendo-os compreender as graves desgraças decorrentes do ciúme.

Tendo sofrido na pele tal calamidade, os exortava veementemente, dizendo:

"Não deem ouvidos às más línguas, nem crédito imediato a quem fala mal dos outros, pois em muitos casos quem o faz só deseja fomentar nas famílias o ódio e a discórdia. Examinem bem os fatos para que um erro não resulte numa verdadeira desgraça para vocês e para os caluniados."

Aos pais e às mães lhes inculcava o dever que tinham de educar a seus filhos com firmeza e suavidade ao mesmo tempo, dizendo-lhes:

"Tenham sempre em mente que é preciso ensinar os filhos de modo que não estejam preparados só para receber as alegrias do mundo, coisa fácil, mas também as desgraças que inevitavelmente acontecem no curso de sua vida. A existência é uma luta e quanto mais preparados estiverem para ela, mais triunfantes poderão sair das provas. Revigorar-lhes corpo e alma, para que possam fazer frente a todas as contingências é dever de pais e educadores, e só assim, ao travarem os embates, poderão dominá-los com um sorriso de valentia nos lábios."

Tudo quanto dizia estava baseado, naturalmente, em sua própria experiência, e ao falar disto recordava sua vida passada e a instrução cristã que seus pais lhe haviam dado. Por isso acrescentava:

"Em mim têm um vivo exemplo do que digo. Quando minha mãe, a duquesa de Brabante, me tinha em seus braços, como agora vocês têm a seus filhos, não teria podido sequer suspeitar que, no futuro, faltaria à sua filha um teto sob o qual se abrigar, uma roupa para lhe cobrir ou uma comida quente. Mas ela, apesar de nossa riqueza, me educou na simplicidade e modéstia, me fazendo conhecer e amar a Deus e confiar em sua Providência. Se não fosse assim, sem dúvida teria sucumbido nestes sete anos, sob o peso de tantos infortúnios. Mas ainda que estivesse só, não me encontrava desamparada, pois sentia a presença de Deus. E apesar das privações, achava gosto no mais singelo, já que havia aprendido, em parte, a conhecer seu valor. Sem esta fé em Deus e na imortalidade da alma, a vida neste mundo, inclusive a mais luxuosa, resultaria em algo triste e desconsolador. Por isso, boas mães, eu as aconselho a darem tais ensinamentos a seus filhos, para que possam viver com relativa paz e felicidade nesta vida e esperar uma maior felicidade na outra."

Todos ficavam confortados por aquelas frases, ditas com tanta doçura, firmeza e amor. As crianças, que iam ali acompanhados por seus pais, não entendiam grande coisa do que ela dizia, dependendo da idade, mas só o sorriso de Genoveva, a expressão angelical de seus olhos azuis, já lhes alegrava.

Por outra parte, nenhum deles saía daquele aposento sem ter recebido um presente, que *Desditoso*, sentado perto de sua mãe, estava encarregado de entregar, com gesto benévolo e um sorriso carinhoso. Só faltava isto para que os pais dos mesmos, que já estavam emocionados com as palavras de Genoveva, acabassem de se comover. E mesmo os homens não podiam conter às vezes as lágrimas, e seres endurecidos pelas lutas, sentiam abrandar seu coração pela bondade daqueles que também haviam sofrido tanto.

O trabalho de Genoveva foi extraordinário neste sentido, pois seu exemplo e suas palavras exerciam um grande bem sobre todo o arredor. Mesmo os que não podiam chegar até o castelo por causa da distância ou de outras contingências, escutavam repetir a uns e outros os conselhos de Genoveva, que iam passando de boca em boca, e assim aprendiam também.

Todos tentavam ser melhores do que tinham sido até então, e aconteceu mesmo que muitas famílias, que viviam brigadas por vários motivos, se reconciliassem ao escutar os sábios conselhos da condessa, procurando então estabelecer entre eles a paz.

Notando por todas as partes tão evidente transformação, o venerável bispo Hidolfo, que como bom pastor que era, sempre vigiava atentamente seu rebanho, dizia comovido e satisfeito:

— Realmente está provado que sempre que Deus quer enviar algum bem notável, antes manda profundas adversidades, que logo se trocam em grandes bênçãos. As desgraças sofridas por Genoveva e os ensinamentos que aprendeu com as mesmas, difundiram-se, e fazem mais bem às almas que eu mesmo, com minhas sinceras e constantes pregações.

23
O DESESPERO DE GOLO

Costumava acontecer que muitos dos que iam visitar Genoveva quisessem logo, ao sair das habitações da condessa, ir ver Golo no calabouço onde estava encerrado. Havia sido julgado segundo os costumes daquela época, sendo acusado de caluniador, servidor desleal e réu de tríplice assassinato. Uma vez realizado o julgamento, havia sido condenado a ser esquartejado por quatro cavalos e quatro bois.

Ao inteirar-se disso, Genoveva, apesar do que padeceu por culpa do malvado, se horrorizou, suplicando a Sigfrid trocar aquela pena por outra mais leve, pois não podia deixar de sofrer ao imaginar a tortura que tal morte teria representado para Golo.

Sigfrid, atendendo a seus rogos, trocou a pena pela da cadeia perpétua, que devia cumprir no mesmo calabouço onde ela fora encerrada. Se tivesse cedido aos impulsos de seu generoso coração, a condessa teria suplicado pela liberdade completa para aquele homem, esquecendo-se de todas as mágoas, mas compreendia que seu delito havia sido demasiado grande para que pudesse ser deixado livre, pelo qual nada acrescentou.

O carcereiro, que havia recebido a ordem de deixar vê-lo todos aqueles que o desejavam, quase não tinha tempo de descansar, pois eram muitos os que desejavam ver a malvado intendente. Enquanto os acompanhava, costumava dizer-lhes:

— Sigam-me e irão se dar conta do contraste que existe entre o que viram e o que verão agora. No aposento da senhora condessa contemplaram o retrato da inocência e da virtude, e sua recompensa, e neste calabouço verão a imagem do crime, dos vícios, e também de seu castigo.

Segurando então uma lanterna e um molho de chaves, encabeçava o grupo dos curiosos e descia, precedendo-os, pelas gastas escadarias até chegar às profundas e úmidas masmorras. A pesada porta de ferro rangia estridente ao ser aberta e os visitantes sentiam-se impressionados pelo que ali se via.

Mas o pânico de todos aumentava quando o carcereiro penetrava no calabouço e à luz da lanterna se podia ver a figura de Golo. O criminoso oferecia, efetivamente, um aspecto aterrador. Os cabelos, emaranhados, caíam-lhe em desordem sobre a cara, e uma barba hirsuta e eriçada lhe cobria quase por inteiro o semblante, que tinha a palidez da cera. Seus olhos negros eram fundos e lançavam olhares ferozes aos visitantes, os quais retrocediam instintivamente.

Sua mente, alterada pelos remorsos, estava desequilibrada, era frequente escutá-lo lançar terríveis gritos, vê-lo sacudir furiosamente as cadeias que o mantinham preso e, em seus momentos de maior desespero, golpear fortemente a cabeça contra as duras pedras das paredes do calabouço em que estava encerrado, o mesmo em que mandara encerrar Genoveva e seu filho.

Outras vezes, sua loucura tomava caracteres mais benignos, e então falava de diversos assuntos sem nexo e suas mal costuradas frases causavam tanta impressão nos visitantes como seus ataques de excitação. Muitos comentários eram feitos ao se sair dali, e tão horrorosa cena inspirava profundas meditações aos seres que habitualmente se aprofundam nas coisas, um dos quais disse em certa ocasião:

— Que louco e insensato foi! Pobre de quem se aparta do caminho do bem! Ele permaneceu surdo à voz de sua consciência e foi arrastado pelos maus instintos.

Quem acompanhava àquele que falava, de regresso do calabouço, se detinham, interessados por suas palavras, como nas do carcereiro, e o primeiro, parando também em uma curva da mesma prisão, seguiu dizendo:

— Quem se deixa dominar pelos maus instintos, como bem vimos, acaba vítima do desespero. O malvado acredita, no princípio, ter encontrado um caminho cheio de flores, mas quando menos espera, ele se transforma no mais espantoso dos precipícios, que as flores ocultam. Ai de quem se deixa arrastar por estas paixões rasteiras! Aproxima-se confiante de um florido roseiral, e quando estende a mão para pegar a mais bela rosa, se vê assaltado por uma traidora serpente que, mordendo-o, lhe injeta seu veneno na alma.

Tais eram as reflexões que a visita a Golo inspirava em quem o visitava, sendo motivo de ensinamento e exemplo em muitas ocasiões.

∗∗∗

Às vezes, Golo parecia voltar um momento à razão, e então, ao ver perto dele os visitantes, perguntava-lhes, aterrando-os com o brilho de seus olhos e o tom de sua voz:

— É verdade que a condessa e seu filho foram encontrados vivos? Ou talvez eu tenha sonhado...? Mas não, não sonhei... Escutei várias vezes... e deve ser verdade...

Naqueles instantes de lucidez, o arrependimento parecia apertar fortemente seu coração, já que dizia com voz trêmula:

— Sim, ela vive e está livre, e eu me encontro agora preso neste calabouço. Aqui a encarcerei, mas Deus a tirou, junto ao seu filho, e agora me lançou aqui...

Olhando para o lugar onde Genoveva costumava sentar-se quando esteve presa, o golpeava com o pé, acrescentando:

— Ela ficava sentada aqui! E agora eu estou no mesmo lugar! Quem pode duvidar da justiça de Deus?

Outras vezes, ao escutar os passos do carcereiro, que se aproximava conduzindo a novos visitantes, se levantava exclamando:

— Veio me buscar? Estou pronto. Sim, me leve ao suplício. Eu o mereci e é isto o que quero. Mandei degolar uma mulher inocente e uma criança. É justo que me cortem a cabeça. Levem-me, levem-me logo...

Voltava-se para os visitantes, que o encaravam com olhos arregalados pelo espanto, e, mostrando-lhes as mãos, agregava:

— Olhem minhas mãos... estão manchadas e úmidas ainda pelo sangue que fiz derramar. Era sangue inocente, e por mais que chore, não consigo apagar estas manchas com minhas lágrimas. Minha culpa é grande e por ela devo ir ao patíbulo! Irei de bom grado, agora mesmo, levem-me a ele... prefiro mil vezes morrer sob o machado do verdugo que continuar aqui, sofrendo estes tormentos que nunca me deixam.

***

Outras vezes, seu desespero era tão frenético que quando chegava uma nova leva de visitantes, ficava encarando fixamente os recém-chegados, e depois de lançar uma gargalhada convulsiva, exclamava:

— Por que vieram a este calabouço? Foi o diabo quem os acompanhou? Sem dúvida, como eu, pretenderam seduzir uma inocente... mostrem-me suas mãos... mostrem-nas, quero vê-las, pois certamente estão úmidas pelo pranto de uma mãe inocente ou pelo sangue de uma criança. Por que não querem mostrá-las? Não têm coragem para fazê-lo?

Vendo que ninguém obedecia às suas ordens, enraivecia-se cada vez mais e, entregando-se a um delirante furor, gritava entre espasmos raivosos:

— É inútil tentarem ocultá-las! Já sei de tudo! Ainda que queiram negar, estão úmidas de lágrimas e manchadas de sangue, como as minhas. São também uns miseráveis, uns criminosos, e têm que ficar aqui comigo, sofrendo no calabouço.

Afastava-se um pouco e com gestos imperativos, exclamava:

— A partir de hoje, todos ficarão comigo! Este é o lar dos assassinos! Serão meus companheiros!

***

Se entre os presentes houvessem crianças, estas começariam a chorar ao ver aquele homem de expressão terrível lançando tais gritos, e assustados, se esconderiam atrás das saias de suas mães. Quanto aos jovens, eram os que mais ficavam impressionados com aquela cena, e interiormente se prometiam não deixar nunca entrar em seus corações os instintos perversos, os quais, segundo comprovavam, conduziam àquele lamentável fim.

E mais de um visitante, ao abandonar aquele tétrico lugar, formulava opiniões parecidas com esta:

— Preferiria mil vezes viver em um deserto, como nossa senhora Genoveva, alimentando-me só com manjares silvestres, permanecendo puro e respeitado, que viver na opulência como fez Golo, durante alguns anos, à custa de seus delitos, e ter que vir parar então nesta terrível situação.

Ao que o carcereiro, no caminho de volta, lhes respondia:

— Têm razão de sobra em tudo quanto afirmam. E ainda quando, às vezes, o malvado não alcança seu castigo nesta vida, podem estar certos de que não escapará quando se encontrar no além.

***

Golo viveu ainda muitos anos no calabouço, preso do mais horroroso desespero. Mas finalmente, sem dúvida para aliviar misericordiosamente tantos sofrimentos, apesar de que os tinha merecido, lhe foi aplicada a última pena.

24
A CERVA ADMIRADA POR TODOS

Também era habitual que os visitantes, depois de terem visto a Genoveva e escutado seus excelentes conselhos, saudado carinhosamente ao afetuoso *Desditoso* e descido ao calabouço para contemplar horrorizados a Golo, desejarem também ver a cerva que tão boa companheira havia sido para a condessa e para seu filho naqueles sete anos de solidão e sofrimentos.

Eram as crianças, em especial, que formulavam tal desejo, pois tendo ouvido a participação que o fiel animal havia tido na singular história, ficavam desejosos de ver a cerva, acreditando que se tratava de um animal extraordinário.

E ela o era, de certo modo, pois estava totalmente domesticada, e tão habituada à Genoveva e ao pequeno, que agora já não lhe causava nenhum temor outras pessoas, cuja semelhança com seus bons amigos se lhe fazia patente.

Sigfrid, que desde o primeiro instante havia sentido gratidão e afeto pelo nobre animal, havia mandado construir para ela um belo estábulo, onde vivia. Isto não era obstáculo para que a deixassem passear certas horas pelo pátio do castelo e mesmo entrar na residência. Quando isto lhe era permitido, a primeira coisa que fazia era subir pacificamente até o aposento de Genoveva, como se em lugar de um animalzinho fosse um ser humano. E até que tivesse passado alguns momentos em sua companhia, não a retiravam dali.

Logo os habitantes do castelo conquistaram a confiança da cerva, que se aproximava deles, comendo qualquer manjar que lhe oferecessem. Mesmo os cães do castelo, como adivinhando por instinto que deviam respeitá-la, não lhe causavam dano algum, aceitando-a como se fosse de sua própria raça.

Mas quem mais desfrutava da cerva eram as crianças, que brincavam com ela, acariciavam-na, davam a ela pedaços de pão e até mesmo a beijavam, como que agradecidos de que graças a ela a senhora condessa e ao seu filho tivessem recebido excelente alimento. Em uma ocasião, uma criança, já maiorzinha, disse:

— Certamente, se não fosse por esta cerva, a senhora condessa e seu filho teriam perecido de fome.

Ao que a jovem que estava encarregada de cuidar do animal, respondeu:

— É verdade, e serve como uma prova notável de que não devemos jamais maltratar aos animais inofensivos. Se não tivéssemos bois para puxar o arado, vacas que nos proporcionassem o leite e outros tipos de animais úteis, certamente passaríamos tão mal como teria passado a senhora condessa se não tivesse encontrado esta cerva no bosque. Se não contássemos com os animais para a agricultura, a terra pareceria um deserto, pois a maior parte dos campos estariam sem cultivar. Tampouco os homens poderiam transladar-se velozmente de um lado para outro, se não existissem os cavalos. Enfim, pequenos, tenham sempre presente que não devem molestar esses animais úteis, que não causam dano algum, se não os induzirmos a isto, e pelos quais devemos dar graças ao céu, pois nos ajudam na vida.

Ignora-se a idade exata em que morreu Genoveva, mas sabe-se que foi feliz durante o resto de sua existência, a maior parte da qual dedicada a beneficiar ao próximo em vários aspectos.

25
APOSTOLADO ATÉ A MORTE

Desde menina, como sabemos, Genoveva estava marcada pelo selo da fé, da esperança em Deus e da caridade para com seus semelhantes. Recordemo-la, tal como relatamos, com pouca idade, assistindo já fervorosamente com seus pais aos ofícios divinos. Então, mais tarde, aliviando infinitas misérias e dores entre os pobres do ducado de seus pais.

Um sinal invisível, mas luminoso a havia marcado desde seu nascimento, ainda que só depois, com o passar do tempo, este selo extraordinário se fez patente por inteiro. Os primeiros anos foram como uma época preparatória para isso. Mais tarde, chegou sua boda com Sigfrid, que encheu de tristeza os habitantes das possessões de seus pais, pois compreendiam que perdiam com ela uma verdadeira irmã de caridade e que, pelo contrário, causou o regozijo dos que habitavam no condado de seu esposo, os quais desde o primeiro momento se viram beneficiados em vários sentidos com sua presença no castelo.

Já tinham escutado falar de sua beleza e da bondade de seu coração, mas, ao tê-la junto a eles, puderam apreciar sua nobreza e caridade. Não houve sofrimentos nos arredores, desde então, como já sabemos, que ela não tratasse de remediar, e se não fosse pela partida de Sigfrid para a guerra e pela traição de Golo, esta ajuda não teria se interrompido jamais.

Mas aqueles anos passados no desterro, como ela dizia, haviam frutificado profundamente em seu coração. A verdade é que, como já vimos no transcurso do relato, lhe causaram não pouco sofrimento e inquietude, mas desespero. Mas logo os espinhos se tornaram flores, os sofrimentos aumentaram sua compaixão pela dor dos que padeciam, e o desespero a fez compreender os imensos benefícios que em tais horríveis momentos pôde proporcionar uma grande fé em Deus.

Regressou, pois, fortalecida espiritualmente, do deserto, ainda que estivesse débil fisicamente. Mas, uma vez vencida esta debilidade passageira, sentiu-se mais forte do que nunca, tanto no exterior como no interior.

Foi então que começou a praticar seu verdadeiro apostolado, que tão útil resultou a todos os habitantes da região, e especialmente aos deserdados da fortuna. O novo leque de conhecimentos que possuía, unido à transbordante bondade de seu coração, lhe permitiram exercer aquela espécie de ministério no condado de seu esposo, que nunca mais deixou até sua morte exemplar.

Esta pode ser comparada a um esplêndido pôr do sol, em que o astro do dia, sem se apagar, se deixa cair lentamente até desaparecer de nossas vistas, não para se extinguir, mas para seguir iluminando com sua potente luz o hemisfério oposto.

Sua morte causou grande consternação em todos os arredores. A verdade é que ela havia inculcado a muitos sua fé na eternidade, na imortalidade da alma, mas, apesar de tudo, sabiam que iam sentir muito a sua ausência entre eles, a luminosidade espiritual de seus olhos azuis, a beleza modesta de seu sorriso, sempre constante em seus lábios, a doçura de sua voz ao aconselhá-los ou consolá-los; todo seu ser, enfim, que só lhes havia proporcionado benefícios.

Uma imponente multidão acudiu a seu enterro, inutilmente tentando conter o pranto. Todos deixavam deslizar as lágrimas por suas faces, homens e mulheres, fortes e fracos, pois aquele ser extraordinário deixava um vazio impossível de preencher.

Não obstante, quem mais a pranteou foram seu esposo Sigfrid e seu filho *Desditoso*. Seus pais, que teriam experimentado também uma grande dor, haviam já morrido. Mas todos no condado sentiam-se familiares daquela grande dama que, apesar de sua alcunha, soube conservar durante toda a sua vida uma modéstia exemplar.

Quanto à cerva, conta a história que acompanhou Genoveva também até a última morada, e que uma vez fechada a tumba, se lançou sobre a lousa, sem que ninguém conseguisse tirá-la de lá. Em vão tentaram fazê-la comer, trazendo as ervas que habitualmente lhe apeteciam. Nada se conseguiu e foi preciso deixá-la naquele lugar, do qual não se moveu.

Dia e noite, segundo se conta, permaneceu sobre aquela lousa que guardava o corpo daquela que ela tanto havia amado, e, finalmente, uma das pessoas que ia visitar o sepulcro a encontrou morta, como se uma vez falecida a senhora, que tão boa fora para ela, não houvesse desejado mais viver.

EPÍLOGO

Sigfrid ordenou levantar à memória de Genoveva um magnífico monumento de mármore branco, e em homenagem à fiel cerva, que havia levado até o fim, heroicamente, sua fidelidade, mandou esculpir também a figura da mesma na base deste monumento, sobre a lousa sepulcral.

Antes, Genoveva havia rogado a seu esposo que construísse uma ermida no deserto, perto do lugar onde ela e *Desditoso* viveram durante sete anos, e então, para cumprir este desejo, Sigfrid mandou erigir esta ermida, à direita da gruta que havia sido a morada da condessa e de seu filho.

O venerável bispo Hidolfo foi quem a inaugurou, pronunciando frente à mesma emocionantes palavras, que os presentes escutaram com reverência, reforçando as virtudes daquela que sempre viveria na recordação de todos. Espontaneamente, os habitantes do condado a chamaram *Ermida da Senhora*. Foram chamados hábeis artistas, os quais pintaram nas paredes os episódios mais marcantes da vida de Genoveva.

E quando, muitos anos mais tarde, morreu também *Desditoso*, recolheram de suas mãos a tosca cruz de madeira que Genoveva confeccionara, no deserto, com um galho partido, e que o conde *Desditoso* havia querido ter também entre suas mãos ao morrer.

Reverentemente, guarneceram aquela cruz, que lhes parecia como que uma relíquia, com ouro e pedras preciosas, e a colocaram no altar, como símbolo do consolo que a simples cruz havia dado à exemplar desterrada em seus mais terríveis momentos.

Junto à ermida construíram uma pequena vivenda para um ermitão, que desde então ali habitou, sendo sua principal ocupação cuidar da edificação e cultivar uma pequena horta que lhe proporcionava o suficiente para se alimentar.

***

Eram muitos os visitantes da ermida. Acudia de todas as partes, continuamente, um grande número de devotos, ansiosos por contemplar aquele lugar no qual, quase milagrosamente, vivera a condessa Genoveva. O ermitão recebia a todos afetuosamente, pois era o primeiro a admirar as virtudes daquela dama de edificante vida, e lhes explicava os pormenores da existência de Genoveva naquele lugar.

Primeiro os conduzia à capela, onde lhes mostrava a cruz, que era contemplada devotamente por todos. Então, ao ir mostrando as pinturas, explicava pacientemente seu significado, sentindo prazer ante a admiração que seu relato causava em todos os ouvintes.

Depois, os conduzia à gruta, onde lhes mostrava o lugar onde ela e seu filho dormiam, o local onde havia sido colocada a cruz, no oco de uma rocha, como já sabemos, a rocha saliente que às vezes servia de assento a *Desditoso*, enfim, tudo quanto dizia respeito à vida de Genoveva durante aqueles sete anos.

Então os levava lá fora, até o arroio onde tantas vezes mãe e filho beberam daquelas águas que serviam habitualmente para os animais do bosque, mas que contribuíram para a salvação da caluniada condessa e de seu inocente filho.

Finalmente, exortava-lhes piedosamente a que imitassem as virtudes daquela, que, apesar de seus grandes padecimentos, soube conservar a fé no Pai Celestial e transformar em saudável experiência seus sofrimentos, com a qual se alimentam logo as almas de quem se punha em contato com ela.

Todos regressavam edificados daquela visita, que para alguns era peregrinação, pois vinham de longe, e a fama de Genoveva foi crescendo até pontos insuspeitos. Não era estranho, sendo assim, que começassem a venerá-la como santa.

A história ia passando de pai para filho. Os avós a contavam também a seus netos e a quantos quisessem ouvi-la, pelo qual era corrente, transcorridos muitos anos, poder escutar a anciãos de barbas brancas dizendo, com a voz impregnada pela emoção da recordação:

— Quando era ainda muita criança, conheci Genoveva...

Faziam parte, talvez, daqueles que, tendo regressado Genoveva ao castelo, iam ao mesmo com suas mães, para ver aquela linda senhora, pálida, mas tão doce, cujos olhos azuis pousavam sobre eles ternamente, e cujas suaves palavras, ainda que não as entendessem completamente, faziam-nas experimentar uma impressão celestial.

Outras vezes eram anciãos, cuja evocação da generosa condessa estava unida a enfermidades sofridas, as quais haviam visto minoradas por seus cuidados e atenção. Alguns deles conservavam sem dúvida a recordação daquela grande dama, digna, mas simplesmente vestida, entrando em sua modesta habitação para aliviar sua enfermidade quase que somente com sua presença.

Muitos evocavam, sem dúvida, os remédios ou alimentos que ela lhes trazia, a carícia de sua bondosa mão ao pousar sobre a fronte febril, seu sorriso de alento, suas palavras de esperança, sua exortação a ter sempre fé no Altíssimo.

Genoveva havia feito tanto bem a todos, que muitos, mesmo em sua velhice, conservavam gratas recordações da passagem da condessa por suas vidas. E contavam a seus netos e bisnetos tudo quanto sabiam dela, por sua própria ou alheia experiência, especialmente durante as longas veladas de inverno.

***

Quanto ao castelo em que habitaram Genoveva, Sigfrid e *Desditoso*, o tempo efetuou sobre ele, naturalmente, sua obra demolidora. Pouco a pouco, no transcurso dos séculos, o tempo foi destruindo aquela residência, chamada *Simmern*, situada entre o Rhin e o Mosela, perto de Coblenza.

Dela só restou, no alto de uns negros penhascos, algumas pobres minas, conhecidas com o nome de antigo *Simmern*. Mas se o tempo destruiu a obra material, não apagou em absoluto a fama de santidade de Genoveva, que foi aumentando dia a dia nas mentes daqueles que iam recebendo, como um legado sagrado, a história da nobre senhora.

A edificante narração ultrapassou as fronteiras, chegando a todas as partes, para exemplo de muitos. Edificaram-se igrejas em sua memória, e são muitas as mulheres de todo o mundo que em recordação a ela levam o glorioso nome de Genoveva, e muitas as almas que guardam ainda em seu interior o afeto e a admiração por aquela mulher extraordinária, fiel esposa, mãe exemplar e singular crente que se chamou Genoveva de Brabante.

**CONFIRA NOSSOS
LANÇAMENTOS AQUI!**

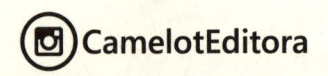

Camelot
EDITORA

CamelotEditora